「反中」亡国論

日本が中国抜きでは生きていけない真の理由

富坂 聰
Tomisaka Satoshi

ビジネス社

はじめに

アメリカでジョー・バイデン新大統領による政権運営がようやく軌道に乗り始め、経済、外交、安全保障、そして次の世界秩序の行方など、世界が注目する大命題にいくつかの答えが投げ込まれ始めたころ、米中直接対決の機会が訪れた。２０２１年3月18日、米アラスカ州アンカレッジで開かれた米中外交トップ会談である。

冒頭、アントニー・ブリンケン国務長官は「新疆《しんきょう》ウイグル自治区、香港、台湾、アメリカへのサイバー攻撃、同盟国への経済的な強制行為など、中国の行動に対するわれわれの深い懸念について提議する」と先制パンチを放ってみせた。報道陣のカメラが退出する前のことだ。

これに対し、向かいの席に陣取った楊潔篪《ヤンチエチー》中国共産党中央政治局委員は、普段の温和なイメージとは程遠い険しい表情で「中国と国際社会が従い、支持しているのは、国連を中心とする国際システムと国際法に裏づけられた国際秩序であり、一部の国が提唱するいわゆる『ルールに基づく』国際秩序ではない」と気色ばんだ。

さらにアメリカが、中国を「国際ルールを無視する国」で「力こそが正義で、勝者が総取りする世界をつくろうとする国」だと決めつけるのに対し、次のように反論した。

「一部の国が仕掛けた戦争で多くの犠牲者が世界中で出ている。しかし中国が他国に求めてきたのは、平和的発展の道を歩むことであり、これこそがわれわれの外交方針の目的だ。軍事力を行使して侵略したり、さまざまな手段で他国の政権を倒したり、他国の人々を虐殺したりすることは正当ではない。それらの行為は、世界に混乱と不安定さをもたらすだけだからだ。結局のところ、そうした行為はアメリカのためにはならない」

結局、楊は「冒頭発言は2分」というホスト側の仕切りを無視して20分にわたり話し続け、「われわれは、アメリカ側が国際社会で必要とされる外交儀礼に従うものだと思っていたが、買いかぶっていたようだ」とまで言い放った。

この会談を受けて「やはり米中は新冷戦に入ったようだ」「後戻りできない対立になった」という声が高まった反面、「いや、想定内だ」「互いに国内に向けた政治ショーを演じただけ」という評価まで、さまざまな言説が乱れ飛んだ。

いずれにしても習近平《シージンピン》指導部にとっての急務は、〝硬〟であれ〝軟〟であれアメリカの新政権の対中姿勢を見極めることだった。しかし、私にはもうひとつ、中国が必死に見極めようとしているものがあるような気がしてならなかった。それは米中ではなく、アメリカ国内で起きている「対立」の行方だ。

新型コロナウイルス感染症（COVID‐19）に苦しんだ2020年が幕を閉じ、少し空気が和らいだかと感じられたころである。アメリカ合衆国から驚くべきニュースが飛び込んできた。前年11月の選挙で敗れたドナルド・トランプ大統領を支持する暴徒らが、大挙して米連邦議会議事堂内になだれ込んだというのだ。その映像は、またたく間に世界を駆け巡り、人々を震撼させた。1月6日のことである。

あたかも身体を襲った激痛が思わぬ病の進行を露見させるがごとく、暴徒らの議会乱入事件はアメリカ社会に横たわる分断の芽が、もはや選挙などによっては解消できないほど深刻になっていたことを世界に知らしめた。

アメリカ社会が発したこのシグナルを、多くの国が深刻な懸念をもって受け止めたことは間違いない。なかでも、ひときわ強い警戒心をもってキャピトル・ヒルの巨大ドームが煙に包まれる姿を見守っていた国をひとつ挙げるとすれば、それは間違いなく中華人民共和国であったはずだ。世界で最も有名な民主主義の象徴の混乱は、異なるイデオロギーをもつ中国にとっての「勝利」だと伝えたメディアもあったが、現実は違っていた。近い未来、このエネルギーが自国に向けて噴き出されることを懸念していたからだ。

とはいえ、もちろん中国がそんな動揺を表に出すことはない。

議会乱入事件の翌7日、定例会見に臨んだ中国外交部の華春瑩《ホアチュンイン》報道官は、フランス通信社（AFP）記者の質問に答え、「われわれはアメリカ国民が正常な秩序を取り戻せることを願い、信じている」と当たり障りのない前置きに続けて、2019年に香港で起きた立法会（議会）乱入事件への地元警察の対応と比較して、チクリと皮肉った。

「2019年の立法会へのデモ隊乱入は、ワシントンでの出来事よりも深刻だったが、デモ隊はひとりも亡くなってはいない」

実は、従来から中国は他国への内政干渉には慎重だ。靖国神社参拝問題など口うるさい中国を知る日本人は、意外に思うかもしれない。だが、それは1972年の日中共同宣言で「歴史重視」をうたっているからで、中国はあくまで条約違反を指摘している例外的なケースだ。この中国の一貫した姿勢は、他国とのあいだに発生する〝利益〟にしか興味がないからであり、安全保障の観点からも「巻き込まれ」のリスクを警戒しているためだ。

思い返せばトランプ政権の末期、米中両国は坂道を転がるように関係を悪化させていった。その変化の過程で、中国は当初「難敵だが、交渉可能な相手」と認識していたトランプを、「もはや話の通じない相手」と判断し、態度を硬化させた。

その後の米中の反目は、米ハーバード大学のグレアム・アリソン教授が「トゥキディデスの罠」――新興国アテネの台頭とそれに対するスパルタの恐れが、両国の戦争を不可避なものとしたという古代ギリシャの歴史家、トゥキディデスの分析にちなむ――と表現したような、新旧二大パワーの避けられない対決にもたとえられた。

だが、冷静に考えれば、米中が対決することで得られるメリットなどなく、逆にデメリットは果てしなく大きい。戦争の行方がどこに落ち着いたとしても、この結果は同じだ。しかも次なる大国間の戦争が起きれば、世界が再び原状回復できるかどうかもわからない。両国の国民や指導者が通常の判断力さえ備えていれば、〝対決〟などという愚かな選択をする道理などないはずだ。

だが一方で、人間が常に正常な判断力を保っていられるとも限らない。知力や社会的なポジションの高低、あるいは責任の軽重や判断力の有無の問題ではない。いや、むしろ知力もあり社会的ポジションも高く、責任も重い政治家であればこそ、ときに〝毒まんじゅう〟を食らってでも保身に走りかねないのだ。

2021年6月7日、バラク・オバマ元米大統領がCNNのインタビューで、アメリカの共和党議員が当初どのようにトランプの出現をとらえていたかについて、面白いエピソードを紹介している。それによると彼らは「ああ、心配するな。われわれはトランプ氏らにガス抜きをさせているだけだ」と高をくくっていたというのだ。

しかし、現状は誰もが知るとおり、「軒を貸して母屋を取られ」ようとしている。議員の地位を捨てたくない人たちによって、「ガス抜き」どころか進んでガスを吸いに行く状況が現出しているのだ。それは、かつてドイツ政界がヒトラーという極端な政治家を受け入れていった過程とも、どこか重なる。

中国が警戒するのは、こうしたアメリカの政情の不安定さである。それが米中関係にどう影響するのかを考えたとき、アメリカ国内の赤（共和党）と青（民主党）の対立の激化や

「上位わずか1％の富裕層の収入が全世帯所得の2割を占める」貧富の分断といういびつな要素は、政治家が意に反しても過激な毒まんじゅうに手をつける動機となるからだ。もちろん、その毒まんじゅうのひとつには、間違いなく対中強硬策も含まれている。

本書では、短期間に大きく中国を変化させることとなった諸要素が、どのように「不必要な対決」という問題へと向かっていくのかについて触れながら、日本ではあまり接することのない中国から見た世界、そして国際政治の持つ冷徹な一面を、日本の読者に提供していければと考えている。

第1章 「米中デカップリング」のオモテとウラ

第2章 アフターコロナのカギとなる「脱米戦略」

第3章

中国流「民主主義」を貫く〝習近平独裁〟

第4章

絶対に報じられないウイグルと香港の「不都合な真実」

第1章

「米中デカップリング」のオモテとウラ

中国は手に汗握る突発的な変化にも見舞われた――

2020年の1月、コロナ禍の真っただ中にあった中国国民のほとんどは、史上最悪の「春節」(旧正月)を過ごすことに打ちのめされていた。

しかし、翌2021年2月10日、その痛々しい記憶を打ち消すかのように新年(旧暦)祝賀会が華々しく催された。そこには、中国共産党中央(党中央)の最高指導部メンバー7人が顔をそろえた。中国中央電視台(CCTV)は、その祝いの場で演台に立った党中央総書記・国家主席である習近平のスピーチを、ニュース番組で長々と放送したのである。

こうした場面でのスピーチはたいてい予定調和で、祝いの席であればなおさら自画自賛に彩られた退屈な話になりがちだ。新鮮味にも欠け、予想を裏切る面白い話が期待できないとなれば、ニュースを観ていても「ながら作業」になるのは仕方のないことだろう。私は耳だけをかろうじて働かせながら、おもむろにラップトップを開いた。

ところが、しばらくすると突然、耳に刺激的なワードが飛び込んでくる。慌ててパソコンの手を止めて視線をテレビへと移した。

習近平が手に汗を握った瞬間とはいつなのか？

2021年2月10日、中国共産党と国務院が開催した「春節団拝会」で演説をする習近平。

「（昨年は）手に汗握る突発的な変化にも見舞われた――」

習近平は、たしかにこう述べたのである。

いまや超大国アメリカをして、「最も重大な競争相手」（2021年2月4日のバイデン新大統領発言）と警戒する大国のトップに君臨する人物だ。その習近平が「手に汗を握った瞬間」があったというから興味深いではないか。しかも、弱みがあればこそ隠そうとする体質をもつ国である。

世界はこの1年、ずっと不穏な空気に包まれてきた。世界経済をけん引する先進国を見回しても、余裕のあった国など皆無だ。誰もが視界不良な世界の行方を悲観しながら、1年を過ごしてきた。

しかし習近平が「手に汗握る」と表現した「突発的な変化」とは、そうした誰もが感じた不安と一線を画すものであるように思われた。習近平自身が繰り返してきた「（世界は）100年に一度の大きな変化の途上にある」という、長期的な警戒とも一致しない。もっと鋭角に点を突くような激しい衝撃だ。おそらく**中国共産党の統治を脅かす瞬間が、**

2020年のどこかにあったのだ。

それは一体、どの時点の何を指しているのだろうか。

思いつくまま列挙すれば、たとえば閣僚級の米中貿易交渉で「第1段階の合意」に至った後も華為技術（ファーウェイ）に対する制裁がトランプ政権から連発され、同社の未来が風前の灯となったときだろうか。それとも2020年3月、ドナルド・トランプ大統領が新型コロナウイルスを「チャイナウイルス」「武漢ウイルス」と呼び始めた時期だろうか。

あるいは5月、トランプが「WHO（世界保健機関）は中国の操り人形」と発言し、中国の不正な圧力によって新型コロナウイルスが世界に蔓延したと攻撃した後、アメリカのテレビ番組に出演し「中国との関係を断つこともありうる」と〝断交〟まで匂わせた瞬間だろうか。はたまた9月の国連演説で、「（国連は）中国に責任を取らせなければならない」と、改めて中国責任論に言及したときなのだろうか。

同じく2020年、トランプ政権のマイク・ポンペオ国務長官は、大統領以上に過激な発言で中国を刺激し続けた。香港問題や新疆ウイグル自治区で起きているとされる人権侵害問題など、中国が「核心的利益」と位置づけるタブーにも意図的に踏み込み、干渉の度合いを高めた。クライマックスはカリフォルニア州にあるリチャード・ニクソン大統領記念図書館での、「共産主義の中国と自由世界の未来」と題した演説（7月23日）だ。「自由主義の世界は、独裁体制に勝利しなければならない」とするこの演説は、それまで対中強硬姿勢の代表的な位置づけであったマイク・ペンス副大統領の演説（2019年10月）とは、ケタ違いに攻撃的な内容だと評された。

さらに任期終了間際の2021年1月9日、ポンペオの口から「ひとつの中国」の放棄ともとれる発言――中国政府に配慮して長年続けてきた、アメリカと台湾の当局者間の接触に関する「自主規制」を解除するとの発表――まで飛び出し、世界を驚かせた。いずれも、中国共産党が激しく態度を硬化させても不思議ではないことばかりであった。

しかし、これらはいずれも中国がアメリカへの態度を急変させる曲がり角ではない。また習近平が「手に汗握った瞬間」でもなかったのではないか。なぜか。

理由は、トランプ政権から矢継ぎ早に繰り出される経済制裁や、あるいは国際社会で中国を孤立させるようとする言動に対しても、トランプ大統領をはじめ政権の閣僚らの個人攻撃や感情的な反論を慎重に避けてきた中国が、**いよいよ「対立もやむなし」とばかりに攻勢に転じたのが、これまで列挙したさまざまな動きより、実は少し前のこと**だと考えられるからだ。

「水に落ちた中国」を激怒させたロス発言

その入り口は2020年1月30日、トランプ政権で商務長官を務めたウィルバー・ロスの発言だった。私はそう考えている。

この日、アメリカでトランプ政権に近いメディア『FOXビジネス』の番組に出演したロスは、**新型コロナウイルスの広がりで混乱を極める中国について聞かれ、「企業がサプライチェーンを見直す際に考慮する、もうひとつの要因になる」と発言**した。さらにロスは「北米、一部はアメリカへの雇用の回帰に寄与すると思う。恐らくメキシコも同様だろう」とも語っている。要するに、「この際だから、サプライチェーンから中国を外して生産基地をアメリカに移そう」と呼びかけたのだ。

発言は翌日付で世界中に配信された。すると、中国がこれに強烈な反応を示したのだ。

ロス発言の意図が、中国攻撃にあったのかどうかは定かではない。政治家の発言の多くは「自らに追い風を吹かせるためだ」という一般論に従えば、トランプ大統領や有権者に向けたありふれたアピールに過ぎなかったかもしれない。トランプは2016年の大統領選挙期間中以来、ずっと「中国は不公平な貿易政策でアメリカの雇用を奪っている」と非難し続けていたのだから、経済閣僚として優等生的発言をしたという程度の感覚だったかもしれない。

しかし、中国に対するマッチョな姿勢をアピールするにしても、タイミングはあまりに最悪だった。

思い返してほしいのだが、1月末といえば武漢での新型コロナウイルスの感染拡大は最も深刻なレベルにあった。しかも、それはまだ全人類の敵ではなく、中国一国だけを悩ませるウイルスだったのだ。武漢を封鎖して1週間、中国共産党もまだ政策の成否さえ見通せず、イラ立つ国民が政権に対する不満を急速に膨らませる恐怖と向き合っていた。

民主選挙で選ばれた政権は、国民から「ノー」を突きつけられれば政権交代によって権力の座を追われる。ダメージはあるが、あくまで限定的だ。だが、中国でもし同じことが起きれば、党も、そのトップも、静かに権力の階段を降りることなど許されない。かつて中国の政治に精通した党の幹部と話をしたとき、その人物は指導部の抱えている緊張感についてこう述べたことがあった。

「アメリカの大統領はいくら失政をとがめられても、最後はこう言うことができる。『私

を選んだのは国民だ』と。老後も静かに生きられる。それに比べて中国は……」

中国の政治制度では、それが許されないという点では多言を要しない。**彼らが国民の不満の声に不寛容で、反政府活動を必要以上に厳しく取り締まるのは、彼らが獲得した権限の大きさゆえに、一たび国民の支持を失ったときに起きる強烈な報いを恐れているからだ。**

それこそ政権交代というシステムをもたない国の悲劇である。

話を戻そう。2020年1月末、中国では国民が「2003年のSARS（重症急性呼吸器症候群）の再来か」という恐怖と闘っていた。そんななか早くも中国共産党は、2020年の国内経済が甚大なダメージにさらされるという認めたくない現実と向き合わされていたのである。のちに詳しく述べるが、この年は中国にとって政治的にも極めて重要な一年の始まりであったのだから、焦燥感はなおさらだ。

中国が危機感を募らせる要素をこうして思いつくまま並べてみれば明らかなように、1月末当時の中国は尋常ではないプレッシャーと向き合っていた。しかもコロナ禍の入り口では、世界経済のなかで中国経済だけが大きく落ち込むとの予測がメディアにもあふれていたのだ。

そんな状況を整理したうえで、あらためてロス発言を考えてみれば、中国が感じた怒りの根深さを理解できるだろう。それは、まさしく文豪・魯迅《ろじん》が表現した**「水に落ちた犬を打つ」行為であった**からだ。

もっともロス発言については、これをネガティブに報じたメディアが多く、まだ世界には〝良識〟という制御が働いていた点に救いがあった。たとえば普段は概して中国に手厳しい『ウォール・ストリート・ジャーナル』も解説で、「苦境にある中国へのあまりに無神経な発言だとの批判が上がっている」という声を紹介しているほどだ。

ただし、ロス発言が引き起こした問題は、単に弱りきった中国人の神経を逆なでしたとか、アメリカに裏切られたといった〝感情論〟だけに収まる話ではない。

もしもロスが未曾有の災難に見舞われ、きりきり舞いする中国に対し、「彼らから強みを奪う好機だ」と世界に呼びかけ、他の多くの国々も本気で追随していた――事実、日本は予算をつけて製造基地の国内回帰を呼びかけた――としたらどうであろう。

実際、そんな動きが広がり定着することはなかったわけだが、少なくとも**中国に〝最悪〟を想像させる機会にはなった**はずだ。

中国の指導者が夜、眠れなくなるほど恐れていること

ここ数年、中国はアメリカとの対比のなかで語られることが多くなった。そして、世界を二分する米中対立は、しばしばイデオロギーを軸に説明されてきた。前述したポンペオ演説も、対立軸は「全体主義（専制政治）VS自由主義」だった。こうした対比は、西側社会で生活する日本人の耳には、すんなり馴染《なじ》むだろう。だが、長年中国をウォッチし、現地で生活する人々と接してきた私には強い違和感がともなう。

中国が「専制政治ではない」とか「思った以上に民主化されている」といった意味から言っているのではない。ひっかかるのは、「全体主義（専制政治）VS自由主義」といった対立が成立するのか否かという以前に、中国共産党も中国人も、そうした対立にそもそもあまり興味を示していないのではないかと考えられる点だ。言い換えれば、論点がかみ合っていないということだ。

その理由を説明することは、実は非常に簡単である。圧倒的に多くの中国人が望んでいるのは「今日よりも明日はもっと豊かになる」ことであり、中国の影響力が他国に及ぶこ

とではない——及ぶことを否定するわけではないだろうが——からだ。そして、この中国人の望みをかなえている限り、中国共産党の統治が脅かされることもないのだ。

ジョージ・W・ブッシュ元米大統領は、その回顧録『決断のとき』に、当時の胡錦濤《フージンタオ》国家主席とのあいだで交わされた興味深いやり取りを書き記している。ブッシュが胡錦濤に「あなたにとって、考え始めたら眠れないような怖いことは何ですか」と尋ねたのに対し、胡錦濤はしばし考え込んだ後に、こう答えたという。

「この国の民に仕事を与えられなくなったらどうしようかと、それを考え始めたら眠れなくなる」

これは、実に中国のリーダーの思考を象徴するエピソードだ。

かつて、中国には「保八《バオバー》」という言葉があった。GDPの成長率の目標値で8%を下回ってはならないという意味だが、これも毎年生じる新規雇用の需要に応えるためには8%成長がマストだという計算から来ているのだ。こうした「雇用至上主義」とでもいうべき考え方は、2021年3月に行われた第13期全国人民代表大会（以下、全人代）後の李克《リークー》強《チアン》総理による内外記者との会見のなかでも披露されているので、中国指導部の一貫した考え方といえるだろう。

つまり、「新冷戦」というフレーズが市民権を得て以降、アメリカは中国に「専制主義」「全体主義」「権威主義政治」というレッテルを貼り対立を際立たせる一方で、「遅れた政治体制の国」というイメージに落とし込もうとしているが、むしろ、後者の位置づけのほうが正しいのだろう。経済において「縁故資本主義」「国家資本主義」と、中国の異質さを強調することも同じだ。

たしかに中国をよく理解せず、教科書的に米中対立を「自由と専制の相克《そうこく》」としてとらえれば、わかりやすいかもしれない。実際、米中関係が悪化するに従い、そうした表現をメディアでも頻繁に目にするようになった。そのためだろう。報道の受け手である日本の読者や視聴者の多くも、「トランプVS習近平」を米ソ冷戦当時のように、まるで世界地図を赤く染めて浸食しようと目論む大国として、中国の台頭をとらえようとしている。

さらに、その対立の構図は、もし中国が世界のルールメーカーになれば、自分たちがこれまで謳歌してきた「自由な政治環境」が奪われるという〝恐怖〟とも共鳴するのだ。これでは、中国への嫌悪感が高まるのも無理からぬことだ。

2019年春に再燃した香港での民主化デモへの対応で、日本人は明らかに以前より強くデモ隊に同情し、ネットでの応援発信などコミットの度合いも深めた。また台湾への仲問意識にも、より強い言葉が使われるようになった。

この変化には、自由の破壊者としての中国への警戒があるのだろう。なかには「今日の台湾は明日の日本」などと、日本人に警鐘を鳴らそうとしているのか、それとも〝自虐〟の表現なのかはわからないような、受け手を戸惑わせてしまう発信者まで現れる始末だ。

だが、繰り返しになるが中国にとっての優先順位は国民を富ませることであり、それによって自らの政権基盤を確固たるものとすることだ。

こうした〝信念〟がわかりやすく現れているのが、対香港政策においてである。**中国がいま、香港社会にこれ以上の西側的な価値観が広がることを、強引に力で抑え込もうとしている**ことは周知のとおりだ。無論、こうした政策によって摩擦や傷も生じることは間違いない。だが中国政府は、香港の人々がさらに豊かになることで、そうした不満や対立感情は打ち消せると考えているのだ。

その答えは5年後、10年後に明らかになるだろうが、中国共産党はおそらくあの大きなデモのうねりさえ極少数のか細い声に変え、現状になんとなく満足する大多数が、今後も不安を呑み込んでいく未来に自信をもっている。

中国がターゲットにした次世代のリーダーたち

かつて「政治の国」と呼ばれ千変万化だった中国が、これほど露骨な割り切った考え方を持つに至ったことについては第3章であらためて触れたいと思うが、少なくとも現在の中国における国民から共産党への負託は、「国民を富ませる」ことなのだ。

それを踏まえて、あらためてロス発言を振り返ってみればわかるように、中国をサプライチェーンから外すことは、すなわち共産党から「国民を富ませる」重要なツールを奪うことを意味する。つまり共産党にとって、文字どおり「党の存亡」にもかかわる重大事に踏み込んだ発言だったというわけだ。

中国はここから、最終的にはトランプ政権末期にポンペオ国務長官を「永遠にさらばだ、アメリカ史上最低の国務長官よ」と公然と罵り、彼を筆頭に28人の閣僚や政府の要人などへの制裁措置として中国本土、香港およびマカオへの渡航を禁止するまで、一気に反米のトーンを高めていったのである。

28人に対する制裁の理由は、「正気の沙汰ではない一連の措置を計画、促進、実施し、中国の内政に著しく干渉し、中国の国益を損ない、米中関係を深刻に阻害した」（『ロイター通信』2021年1月21日）からだという。

かつて、反日の嵐が吹き荒れていた中国大陸で取材をしていたときの、中国の凄まじい鼻息を思い出させる文言だ。まるで「ロケットマン」「老いぼれの狂人」とトップ同士が罵り合った、米朝対立のピークを想起させる感情のぶつかり合いで、互いに歩み寄る余地も残さない応酬となった。

しかも中国は、長期的な対立にも備えていた。**彼らは決してジョー・バイデンが大統領選挙で勝利し、トランプが政界を去ることを見越し、〝決別の罵り〟を送ったわけではないのだ。**試しに、制裁対象となった主だった人々の名前と当時の肩書を並べてみよう。

ピーター・ナヴァロ（通商製造業政策局長）、ロバート・オブライエン（国家安全保障問題担当大統領補佐官）、デイヴィッド・スティルウェル（国務次官補〈東アジア・太平洋担当〉）、マシュー・ポッティンジャー（大統領副補佐官）、アレックス・アザー（保健福祉長官）、キース・クラッチ（国務次官〈経済成長・エネルギー・環境担当〉）、ケリー・クラフト（国連大使）、そしてジョン・ボルトン（国家安全保障問題担当大統領補佐官）とスティーブ・バノン（首席戦略官）……。

リストの多くが、将来も米政界の第一線で活躍する可能性のある人物だ。いや、「将来」などと大げさな表現をしなくとも、3年後に共和党の大統領が誕生すれば、再び政治の中心に戻ってくるかもしれない面々ばかりだ。

このことは、若手のころから両国の政界のホープ同士の交流を積極的に促進し、関係を積み重ねるという、対米関係ではとくに慎重、かつ地道な取り組みをしてきた中国の従来の姿勢から見ても、大きく軌道を外している。

つまり、この制裁はトランプ政権への意趣返しなどではなく、明らかにアメリカ全体に向けた重要なメッセージなのだ。

さらに、**中国の真意を知るヒントは、ロス発言をきっかけに頻度を増したある言葉から読み解くことができる。それは「政治屋」を意味する「政客《ジャンクァ》」**だ。要するに選挙で勝つことであったり自分の利益のためには、他国との関係を悪化させ国益を損なうことを気にも留めない政治家のことを指した蔑称だ。

ここ数年、西側先進国のあいだに生じた「中国を〝異端視〟する」傾向は、中国の経済的な台頭への警戒感と相まって高まり、2020年のコロナ禍のなかですっかり定着してしまった。これにともない、中国への敵意を煽ることで一定の「票」を獲得するという〝方程式〟を、各国の政治家がいとも簡単に使うようになってしまったのだ。いわゆる、中国の「イージーターゲット化」である。

人気者になるために中国を叩くやり方は、日本に「一日の長」があるので思い当たる読者も少なくないだろう。政治家であれば「愛国者」であったり、国益に敏感だという「安心感」を国民にアピールできる。また昨今では、自由や人権など神聖不可侵な価値の擁護者としてのポジションも手に入る、便利なツールとしての「中国叩き」もある。

あるいは、そこまで露骨なことはしないまでも、中国に親しいといったレッテルを貼られないよう、距離を取るのが得策といった空気も静かに広がっている。言論界も同様で、ネットには「商業右翼」といった言葉もあふれている。

なぜコカ・コーラやディズニーは自国政府を訴えたのか

では、中国が非難する「政客」とはどんな人々なのか。たとえば「中国にある工場を全部引き揚げて対中依存をなくせ」といった非現実的なことを、さも可能であるかのように主張する面々だ。もちろん、トランプ政権下で発せられた制裁関税の発動もそうだ。後者の場合、制裁関税によって中国の利益が傷つくだけでなく、アメリカの企業にも甚大な損失がはね返ってくるにもかかわらず、政治的な利益を求めて制裁は続けられたのだ。

事実、トランプ政権の末期、3500社を超えるアメリカ企業が、そろって中国に制裁関税を発動した自国政府を提訴するという、珍しい現象が起きたのは記憶に新しい。しかも**提訴に名を連ねたのは「米コカ・コーラ、米ウォルト・ディズニー、米フォード・モーターなど知名度のある多国籍企業のほか、新型コロナウイルスの検査キットを手掛ける米医療機器大手アボット・ラボラトリーズ」**（『日本経済新聞』〈「FT」米企業3500社、中国への制裁関税で米政府を提訴〉2020年10月6日）などといった、まさにアメリカを代表する多国籍企業ばかりであったのだ。

トランプ政権が発動した制裁関税に対抗して、中国も報復関税をアメリカからの輸入品に課した。そのダメージはアメリカの農家へと向かい、損害を受けた農業従事者らも、その怒りの矛先を政権へと向けた。

そもそも国という視点で見たとき、貿易戦争を仕掛ければ被害が自国に及ぶことは、グローバル経済が浸透した現代の宿命である。すでに前作『「米中対立」のはざまで沈む日本の国難』（ビジネス社）でも触れたことだが、もう一度その際に引用した記事〈中米の経済関係を把握するには現実を見る必要がある〉（『人民網日本語版』２０１７年３月28日）を紹介しておこう。米イェール大学シニア・フェローのスティーブン・ローチ氏のコメントの抜粋だ。

アメリカは１０１カ国との間に貿易赤字を抱えている。実は中国の対米貿易黒字は、中国が利益を得て、アメリカが損失を被っているということを意味するものではない。アメリカの消費者に目を向けると、中米貿易はアメリカの家庭にとって年８５０ドル以上を節約する助けとなっている。研究によると、企業レベルでは、中国の対米貿易黒字のうち約40％は中国で経営するアメリカ企業による。

実例は枚挙にいとまがないが、たとえば中国の対米輸出の主力品のひとつである靴を見てみよう。

いま、中国南部の東莞《とうかん》市のひとつの区にある工場だけで、全世界で消費される靴の約60％が生産されているといわれるが、一方で中国ブランドを冠したシューズをわれわれはほとんど見かけることはない。知っているのは、欧米メーカーの横文字のロゴ入りシューズばかりだ。中身はメイド・イン・チャイナであっても、ブランドは欧米の多国籍企業という鉄壁の構造がそこにはあるのだ。

中国が製品に与えている付加価値は、製造を請け負っている部分であり、受け取るのはいわば工賃である。同じような構造は、中国での生産が圧倒的に多いことで知られるスマートフォンにも見られる。日本の経済産業省が発表した『通商白書２０１８年版』では、アジア開発銀行の調査を引用して「その付加価値の96・４％がアメリカを含む中国以外の国からもたらされたものだ」と説明している。

つまりトランプが問題視した貿易黒字の利益のうち、中国が受け取っているのは実は10％にも満たない――付加価値がそのまま利益とは限らないが――ボリュームだったのかもしれないのだ。

それに類する統計も見つかる。中国の内閣にあたる国務院商務部が発表した「中米経済貿易関係に関する研究報告」のデータによれば、「２０１７年の中国の貨物貿易の黒字のうち57％は外資系企業によるもので、59％は加工貿易によっていた」（『人民網日本語版』〈中米の貿易赤字はどこから？　利益の黒字はアメリカに（２）〉２０１８年３月28日）というから、中国系以外の儲けがなんと約６割を占めているのだ。

トランプ政権が誕生した直後の2017年、「アメリカは中国にとって第2の貿易パートナーとなっている。（中略）中米貿易の活力は双方の経済的補完性に源を発し、その結果は互恵・ウィンウィンだ。アメリカが輸出するボーイング機の26％、大豆の56％、自動車の16％、集積回路の15％の相手国が中国だ」（『人民網日本語版』2017年3月28日）と中国はかえって胸を張っていたのだ。

米中の貿易額は、国交を樹立した当時（1979年）にはわずか25億ドルであったのが、2016年には5196億ドルにも達している。**もし本当にアメリカばかりが損をして我慢ばかりしているのであれば、こんなに長期間、貿易を拡大し続けられるはずはない**。それともこんなに「中国に貢いでもなお気づかない」ほど、アメリカ人というのは愚かであり、底抜けにお人好しだったとでもいうのだろうか。

ちなみに中国は、アメリカが常に貿易赤字に苦しんでいる理由を、以下のように説明している。前掲記事〈中米の貿易赤字はどこから？　利益の黒字はアメリカに（2）〉から当該の一文を引いてみよう。

アメリカ経済はサービス業が主体で、貯蓄が少なく、消費が多く、自国での生産だけでは国内の消費ニーズを満たせず、消費財を大量に輸入する必要がある。貿易赤字は実質的にはアメリカが他国の余剰の貯蓄を利用して、自国の生産能力を上回る消費水準を維持していることにほかならない。

ここで指摘された体質が変わらなければ、貿易赤字も解消されないということだ。米商務省は2021年2月5日、前年の国際収支ベース（季節調整済み）の物品貿易赤字が9158億ドル（約97兆円）となり、2年ぶりに過去最大を記録したという貿易統計を発表している。**あれほど派手に〝関税砲〟を中国に向けて撃ちまくってきたにもかかわらず、結果として貿易赤字は拡大してしまっているの**だ。

「問題はアメリカ経済の体質」ということを示す、別の数値も見てみよう。たしかに、アメリカの対中貿易赤字は2017年比で2割減と多少改善された。だが、たとえば対ベトナムや対台湾では8割増しと、相殺以上の結果を招いている（『時事通信』〈対ベトナムや台湾で赤字増　関税回避、中国に代わり―米貿易統計〉2021年2月6日）。

中国との貿易問題が終わっても、またすぐに次の国との摩擦が幕を開けていることがわかる。これは、80年代に日米貿易摩擦にさらされた日本人にとって、馴染みのある話ではなかろうか。

ちなみにトランプ大統領が繰り出した報復関税は、空しい結果を招いたというだけでなく、純粋に国際貿易のルールを逸脱しているという点にも注目すべきだ。2020年9月16日、WTO（世界貿易機関）は、一審にあたる小委員会において、中国からの輸入品に対して課された関税の上乗せには「正当な根拠がない」として、「国際的な貿易のルール違反」との判断を示しているのである。

「政客」という言葉が示すエスカレートする怒り

これまで見てきたようにトランプ大統領の放った制裁関税という爆弾は、たしかに中国にダメージを与えたが、それは明らかに中国に進出した米系企業のビジネスにも冷や水を浴びせかけた。そして関税の影響は輸入品価格の上昇にもはね返り、最終的には前述したように、経済成長にとって最大のエンジンである国内の消費者の利益をも直撃することになりかねない。まさに何をかいわんや、だったのである。

だが、そんな〝悪手〟であっても利益を得る者はいる。それが「政客」たちだ。だからこそアメリカに限らず、対立状態にある相手国に向けた強硬論はなくならないのだ。

話題は中国から少しズレるが、たとえば安倍政権が踏み切った韓国に対する輸出規制（正確には輸出管理強化）を見てみよう。これも、政治的な効果を生むどころか、かえって日本の産業にダメージを与える結果となってしまった。実際、フッ化水素の輸出は制裁により対前年比で2割程度まで減ってしまったと、日本総研が2020年6月25日に発表したレポートで指摘している。一方で、韓国が政治的に妥協することはなかった。

冷静に損得を計算することが不得手な大衆を感情で煽り、政治家としての人気や得票に結びつけようとする行為は、最もインスタントに政治的利益を手に入れられる便利なツールだが、だとしても一度生じた不利益は、どこかで誰かが背負わなければならない。この貧乏くじを引くのは、たいてい後の世代である。民主主義のもつ〝負〟の側面というべきだろう。

のちに詳しく触れるが、台湾の蔡英文《さいえいぶん》政権が「反中国」でしか政権への追い風を吹かせられなくなった状況は、まさにそのひとつの典型、という以上に危険なことなのだ。

中国が、こうした行動に走る政治家を「政客」と侮蔑的に呼ぶことはすでに述べた。

この言葉を中国が恒常的に使うようになるのは、コロナ禍にあってようやく一筋の光明が見え始めた2020年の3月ごろだ。3月16日、ポンペオ国務長官と電話会談をした楊潔篪は、「アメリカの一部の『政客』は、中国と中国が取り組む新型コロナ感染拡大阻止・防疫策を常におとしめようとしている」という形で「政客」に言及したのだ。

楊は、この段階ではまだ「一部の」という形容詞で特定個人を指すことを避けたが、これも時間の問題であった。先述したように、これ以前の1月末から、「ロス発言」をきっかけに、中国はすでに対米外交の姿勢を大きく転換していたのである。

象徴的であったのは2月3日の外交部の定例会見に登場した華春瑩報道官だ。外国メディアから、「多くの国が、中国人や中国を経由した渡航者に対して防疫措置を強化していることをどう思うか」との質問を受けた華は、まず「たくさんの国が中国の対新型コロナウイルスに対する取り組みに賞賛と支持を寄せてくれ、最近、中国国民の入境に対して厳しい検疫・防疫措置を行い始めたことについては、われわれはそれを理解し尊重している」とことわったうえで、アメリカに対し従来にはなかった辛辣《しんらつ》なコメントを発して、記者たちを驚かせたのだ。

アメリカ政府は、いまに至るまで中国に対していかなる実質的な援助をしてくれたことなどない。それどころか武漢の領事館から職員を引き上げさせた第1号であり、また、大使館からもいち早く一部の職員の引き上げを申請した国である。初めて中国国民への全面的な入境制限を宣言した国でもあり、こうして常に恐怖をまき散らし、先頭に立って悪辣な手本を示し続けた。

この会見のなかで華が触れた「援助」とは、この直後に米国務省が発表し詳細が明らかになった、中国など支援を必要とする国々に対する「1億ドルの援助」も含まれている。そして、のちにこれは言葉だけの空手形であったとする報道へと発展していくのである。

急にトーンダウンした武漢ウイルス研究所への非難

米中の非難の応酬は、常に一方通行で終わることはない。互いが相手へのダメージを高めようと、またたく間に攻撃のボルテージを上げていった。

3月16日には、トランプ大統領が初めて自身のツイッターで新型コロナウイルスを「チャイナウイルス」と呼び話題になる。続く18日の会見でも同じように「チャイナウイルス」

と連発して中国を挑発した。

4月半ばになると、新型コロナウイルスは中国科学院武漢ウイルス研究所から流出したという、いわゆる「人工ウイルス説」がトランプ政権から主張されるようになり、中国側にも調査を求めた（『AFP』2020年4月17日）。こうして中国を取り巻くコロナ禍の環境は、にわかに厳しくなり、中国側も態度を硬化させていったのだ。

武漢ウイルス研究所流出説の流布に対して、中国側はまたひとつリミットを外し、ポンペオを名指しして罵詈雑言を浴びせかけた。いわく、「政治的ウイルスをまき散らすポンペオはまさに自分を人類共通の敵にしてしまった」「米外交史上に永遠に汚名を残すであろう」という具合だ（『CCTV』2020年4月27日）。

ポンペオも反撃し「新型コロナウイルスは中国・武漢の研究施設から漏えいした、かなりの証拠がある」（『ABCテレビ』2020年5月3日）と自説への自信を示し、続いてトランプも「強力な証拠を公表する」とメディアに出演して援護射撃。世界にも大きなインパクトを与えた。

このため当時の報道のほとんどは、中国がいつ武漢ウイルス研究所流出という〝事実〟を隠ぺいしていたことを認めるのかへと、焦点が移っていったのだ。

ところが事態は一変する。5月7日に記者会見をしたポンペオが、なぜか急に攻勢をトーンダウンさせ、「（流出したという）確信はない」「正しくないかもしれない」と自説を大きく曲げたのである。

その理由は、問題となった武漢ウイルス研究所で事故が起き、ウイルスが流出したことを裏づけるとされた「報告書」の真偽が疑われたことに加え、同研究所のずさんな管理を指摘した外交電報にも証拠らしい証拠は見つからなかったことが影響したと考えられる。

ウイルス流出説は、「人工ウイルス」以外の〝流出〟の可能性がまだくすぶっているが、少なくともこの時点で、「強力な証拠」も「大量の証拠」も出せず態度を豹変させたアメリカに対し、中国が批判のトーンを高めたことは言うまでもない。

7月22日の定例会見に臨んだ中国外交部の汪文斌《ワンウェンビン》報道官は、冷笑気味にこう語った。

アメリカの政客は、新型コロナウイルスに関するさまざまなデマをまき散らしており、最低限のモラルもない。アメリカ国務省が先日公表した、2018年の武漢ウイルス研究所に関連する外交電報によって、アメリカ側のいわゆる「証拠」と「真相」に、結局どれほどの実質的価値があるのかを、全世界は再び目の当たりにした。

3月の時点ではまだ慎重に名指しを避け、「政客」と批判する配慮も残していた中国だが、わずか1カ月で「人類の敵」、4カ月後には「最低限のモラルもない」とまで、アメリカの現役の重要閣僚を断じたのである。

あらためて書くまでもないが、習近平指導部はおそらくこの時点で、もはやトランプ政権との関係改善は諦めていたのだろう。

中国人と中国共産党は切り離し不可能

トランプ政権VS習近平指導部という対立のエスカレートは、もちろん貿易格差や先端技術をめぐる覇権争い、新型コロナウイルスの蔓延による政権へのストレスなど、政治イシューに由来する不満の応酬の結果なのだが、その一方で見落としてはならないのは、大統領選挙という要素だ。

2020年4月24日、ワシントンの政治紙『ポリティコ』は、共和党のトップ選挙戦略家によって作成された57ページに及ぶメモの存在を暴露した。そのメモでは共和党の上院議員候補に対し、新型コロナウイルス危機に関連して「中国をアグレッシブに攻撃すること」が強調されていたという。

〈GOP memo urges anti-China assault over coronavirus〉（コロナウイルスをめぐって反中攻撃を強く促す共和党のメモ）と題された記事によれば、メモには、コロナ危機に関するすべての物事を、いかに中国政府と民主党候補に結びつけて攻撃するかについて具体的な記述があったという。その要点は主に以下の3つだ。

ひとつは「中国が情報を覆い隠したことで、ウイルス問題が引き起こされた」こと。ふたつ目が「その中国に対して、民主党の議員が〝ソフト〟である」こと。そして3つ目は「中国がパンデミックを広めたことに対して、共和党が強く制裁を求めていく」ことだ。「数千人の命を奪ったコロナの問題は、隠ぺいによって引き起こされた中国によるひき逃げ事件のようなもの」という過激な言葉もメモにはあった。

いずれにせよ、このメモ前後から武漢ウイルス研究所流出説が出てくるなど、中国に対する風当たりが一気に強まったのは偶然ではないだろう。およそ半年後に迫った選挙対策の一環と考えるのが自然だ。

また別の角度から興味深いのは、メモのなかに書かれた、中国を非難することが「人種差別の助長になるのでは?」と尋ねられたときのアドバイスとして、「『誰ひとり、在米中国人を非難している者はいない。これは中国共産党がウイルスを隠ぺいし、この危険性をウソでごまかしたことによる問題で、彼らがその責任を問われるべきだ』と答えるように」との記述まで見つかったことだ。

実際、このロジックは、前述したポンペオのニクソン図書館前での演説にもしっかり反映されている。つまり、**中国に対する有効な攻勢のひとつとして、「中国人民と中国共産党を切り離す」＝「デカップリングする」意図が込められているのだ。**

中国人と共産党を区別し、「専制政治の抑圧下にある無辜《むこ》な国民はわれわれの味方だ」と呼びかけて内部から中国を揺さぶるというやり方は、実は古くて新しい手法だ。日本でも、右派言論界でかなり前から頻繁に聞かれたフレーズである。

だが、こうした言説こそまさに、アメリカを含めて多くの国が中国の現実を根本から誤解している典型例なのだ。当然、中国では冷笑をもって受け止められた。

7月17日、中国で対外強硬派と位置づけられる人民日報傘下の『環球時報』の名物編集長・胡錫進《フーシージン》の〈本日はアメリカ人に向け「共産党とは誰か」について授業をしよう〉と題した記事からは、その感覚がよく伝わってくる。要旨を紹介しよう。

まず約1億人とされる中国共産党の党員数から、その家族（平均3人）を含めれば3億人となり、さらに親せきを含めれば人数はもっと膨らむ。その理屈で考えれば国民の半数以上が、党員と何らかの深い関係にあっても不思議ではないというのだ。

多少論理に飛躍があるとはいえ、「当たらずと言えども遠からず」というべきだろう。ただ、このことよりも忘れてはならないことは、中国の人々が基本的に経済発展を望み、その前提として「混乱を嫌う」性質をもっていることだ。たとえ中国国民が共産党に「NO」を突きつけたとしても、共産党が容易に権力を手放すはずはないとすれば、その後に待っているのは大混乱である。遠い未来に西側先進国並みの民主化された社会が訪れたとしても、そこにたどり着くまでどれほど長く、凄惨な政治的混乱を味わうことになるのか。中国人は、それが理解できないほど愚かではない。

現代を生きる中国人に、はたして文化大革命のリアルな記憶がどれほど残っているかは定かではないが、少なくとも現在の共産党指導部は政治闘争に明け暮れ、その後、経済活動が停滞した日々を反省し、それを苗床として生まれた〝DNA〟を継いでいる。

過去10年を振り返っても、現指導部が中国に発展をもたらし国民の生活の底上げに寄与したことは客観的に判断しても明らかだ。つまり、濃淡はあっても人々の財布は平均的に少しずつ膨らんできているのだ。

そんな右肩上がりの生活を捨ててまで、はるか先に待ち受ける民主政治のために混乱必至の血みどろの奪権闘争に人々を駆り立てられる理由は見当たらない。

共産党はわれわれの敵だが中国人はそうではない——。

机に座って10分も考えれば思いつくことだが、それが効果を生むとすれば中国国内に共産党への不満が蓄積されていることが大前提だ。そうした瞬間が、改革開放政策に転じた後の中国にあったとすれば、それは80年代であろう。日本とアメリカのＧＤＰを合わせれば世界の半分近くを占め、どちらの国もキラキラした文化の発信地であった。中国の人々——とくに都会の知識人——は、自由な空気を満喫する西側の社会を羨望した。

そんな西側先進国が最も輝いていた時代、中国共産党は国民を心から絶望させる事件を起こした。第2次天安門事件（以下、天安門事件）である。１９８９年6月4日、民主化を求めて広場に集まっていた市民や学生に向けて、当時の中国共産党を実質的に率いていた鄧小平《デンシャオピン》は、軍の力を使ってそれを排除したのだ。流血の惨劇として記憶され続けている。

しかし、そんな凄惨な事件を引き起こした共産党による支配体制は、首の皮一枚で——この表現が適当かどうか迷いもあるのだが——つながったのである。

なぜ、彼らは権力を維持することができたのか。それも第3章で詳しく触れよう。

二度、三度、四度と打ちのめされて気づいたこと

話を米中の離反に戻そう。

2020年1月末のロス発言から、堰《せき》を切ったようにアメリカへの積年の不満を爆発させ始めた中国は、大統領選挙を控えて対中攻勢を加速させるトランプ政権と真っ向からぶつかり、その態度は「もはや、この政権とのあいだに関係修復の可能性はない」と、腹をくくったようであったことはすでに述べた。

中国が、まるで「窮鼠猫《きゅうそねこ》をかむ」がごとく、にわかに反撃のボルテージを高めていった過程は、2019年からトランプが本格化させた中国通信大手ファーウェイへのプレッシャーによって同社が追い詰められていく流れとも重なる。

当初は、イランに対し不正に技術情報を流したとして始まった追及だったが、次第に個人情報を抜き取る〝バックドア〟が仕組まれているとの疑念に変わり、安全保障上の懸念から同社の製品を次世代の通信規格「5G」から排除するという包囲網が、アメリカを中

心に構築されるという流れに変わっていった。同社や中国政府は、さまざまなルートで懐柔や反論を試みるも、やはり中国がもつ政治的な不透明さが足を引っ張り、トランプ政権の仕掛けは少しずつ奏効していったのだ。

同社の創業者である任正非《レンジャンフェイ》CEO（最高経営責任者）は、2020年7月29日から31日にかけて訪れた上海交通大学や復旦大学、東南大学、南京大学での発言で、こんなひと言を漏らしたと中国の雑誌『財新』は報じている。

当初は、われわれの法令遵守の手順に何か問題があったのではないかと考えをめぐらせた。しかし二度、三度、四度と打ちのめされていくうちに、アメリカの一部の政治家はファーウェイの死を望んでいるのだとようやく気づいた。

トランプ政権の発したファーウェイ包囲網ともいうべき制裁や規制は、同社を追い詰めたが、その一方で「証拠がある」などと説明されていたバックドアの存在も一向に示されることはなかった。カナダで身柄を拘束された、任の娘である孟晩舟《メンワンジョウ》CFO（最高財務責任者）の裁判も、遅々として進んでいない。こうしたことを目の当たりにすると、任正非

米中貿易戦争後のファーウェイの「哲学」とは？

2021年7月29日、上海交通大学を訪れた任正非（中央）。アメリカの制裁については、「いかなることがあっても、われわれはアメリカを恨まない。（ファーウェイに対する制裁は）一部の政治家の問題であって、アメリカ社会を代表するものではないからだ。本当に強くなりたければ、敵を含めてすべての人から学ばなければならない」と語ったという。

が語った嘆きも真実味を帯びて聞こえる。

そして、中国政府自体にも任正非と同じように「死を望んでいるんだとようやく気づく」段階が少しずつだが訪れる。この場合の「死を望む」とは、中国の発展をこれ以上許さないというアメリカの「意思」のことだ。発展を許さないことが、なぜ「死」と同義なのかは、やはり第3章で詳しく触れたいと思うが、要するに経済への不満が政権批判に直結する中国の体質を考えてもらえればよいだろう。

アメリカは、ある時点までは中国を強く非難しながらも、一方では注意深く「平和的発展は歓迎する」といった文言を混ぜるなど、微妙なバランスを保ってきた。西側メディアが「冷戦の始まり」と形容した悪名高いペンス演説にですら、そうした表現は見つかる。しかしアメリカは、ある時点からピタリと「発展を歓迎」するといった一語を入れることをやめてしまった。無論、中国側もそれに気がついた。

2018年10月のペンス演説の後半において、「競争は必ずしも敵対心を意味しない」としたうえで、こう語っている。

トランプ大統領が断言しているように、われわれは北京とのあいだに建設的な関係を望んでおり、それにより両国お互いの繁栄と安全が増進されるはずだ。北京はこの目標から遠ざかり続けているものの、中国の支配者層が方針を変更し、数十年前に両国関係の開始時に語られた「改革と開放」の精神に立ち戻ることは可能である。アメリカ国民はそれ以上を望まないし、中国人民には最低限それを与えられるべきだ。

また、ペンス演説としては前年以上に厳しい対中批判が展開されたと評された、2019年10月28日のウィルソンセンターにおけるスピーチのなかにも、そうした配慮はにじんでいる。象徴的とされたのは、**「米中のデカップリング」に言及し、「(デカップリングに向かうのか、と聞かれたら) はっきりと『NO』と答える」と断じている**ことだ。また、その前段としてこんな一文も見られる。

大統領ははっきりと語っているが、アメリカは中国との対決を望んでいない。公平な競争の場を求めているのだ。開かれた市場、公正な取引、そして私たちの価値観の尊重だ。われわれは中国の発展を封じ込めようとは考えていない。これまでの何世代にもわたってリーダーたちがそうしてきたように、中国の人々と建設的な関係を築きたいと望んでいる。

こうしたペンス演説を読むと、中国がこの時点でもう少し歩み寄ることができたのではないかと、残念に思えてならない。

だが2020年7月23日、カリフォルニア州のニクソン大統領記念図書館で行われたポンペオの演説は、共産中国との完全なる決別を呼び掛けている。

「中国共産党と中国人」を区別して、共産党だけに「NO」を突きつけるだけでなく、自由を破壊する元凶に立ち向かうべく、自由を守るための戦いのために団結しようと世界に呼び掛けたのだ。中国共産党がもし、これに危機感を示さなかったとしたら、逆に不思議だ。当然、中国は自分たちの「死を望む」アメリカへ備え始める。

もちろん中国は、これ以前の段階から、アメリカが影響力を行使できる経済圏から徹底的に干されたときの準備にも余念がなかった。

この**中国の危機対応を最もよく表しているのが、2020年半ば、対新型コロナウイルスで曙光《しょこう》が差しだした直後から言及され始めた、「双循環《そうじゅんかん》」という新たな経済政策**なのである。

第2章

アフターコロナのカギとなる「脱米戦略」

「目障りな存在」となった中国に残された道

米中デカップリングは、本当に起きるのか否か。

この視点で習近平指導部の行方を占おうとしたとき、最適な言葉がある。それは先に紹介したファーウェイのCEOの任正非が漏らした、以下の嘆きのセリフだ。

二度、三度、四度と打ちのめされ、アメリカの一部の政治家はファーウェイの死を望んでいるのだとようやく気づいた。

死を望むという表現がオーバーだったとしても、いまやアメリカにとって中国が少なくとも「目障りな存在」であることは、中国共産党も認めざるを得ないだろう。そして次のポイントとして重要なのが、「目障り」の度合いがどれほどかという視点だ。もし、それがマックスである「死を望む」ほどであれば、任の言う「二度、三度、四度と打ちのめされ」ることは、単なるエネルギーと時間の浪費となるだろう。

ならば習近平政権は、腹を決めてデカップリングへと向かうのだろうか。そんな選択をしなければならないとすれば、それはすなわち習指導部が、「米中関係には、もはやこちらが少々の体質改善を行ったところで歩み寄れないほど深い溝が刻まれてしまった」と判断したことになる。中国にとっての2019年から20年は、まさにその可能性を探るための時間であったといっても過言ではない。

実はこれについても、ファーウェイの徐直軍《スージージュン》副会長兼輪番会長が2021年4月に発した言葉が、やはり中国政府を代弁しているようにも聞こえる。以下に引用しよう。

> 2019年と2020年は、すべての時間がアメリカ政府の制裁の打撃を克服することに費やされ、未来についてじっくり考える余裕がなかった。その経験をあらためて振り返ると、われわれは生き残ることへの希望を得たが、よりよく生き残るためにはさらなる努力が必要だとわかった。

本章では、中国がまさに「よりよく生き残るため」にどんな選択をしていくのかを追っていく。ただし、米中摩擦を整理するために、ここからは中国が警戒する米中のイデオロギーの違いは、少々脇に置いて話を進めたい。

アメリカこそサイバー攻撃のチャンピオン

繰り返しになるが新旧の力の衝突は米中間だけに起こったわけではない。かつての日米貿易摩擦を挙げるまでもなく、利益をめぐる衝突は国力の変化にともない、場所や時代に関係なく発生する。

焦りは挑戦を受ける側により強く表れるが、台頭する側にも警戒心は働く。**2015年に訪米した習近平が、実は現地で早くも「トゥキディデスの罠」に言及していた**ことは象徴的だ。

また2001年には、欧州議会の議員がアメリカが進めてきた地球規模の通信傍受システム「エシュロン」に産業スパイの可能性があるとして、激しく追及した。私の手元にある記事（同年5月31日の『朝日新聞』）には、アメリカが輸出振興を目的として1993年に設立した支援センターに米中央情報局（CIA）が関与しているのでは、と疑う欧州サイドによる真相究明の様子が描かれている。

問題を追及した議員の怒りの矛先は、エシュロンを使ってヨーロッパから情報を盗み、その成果をＣＩＡ経由で支援センターへ、そしてアメリカ企業へ渡したのではないかという疑惑に向けられている。まさに通信及び諜報分野でのアメリカのアドバンテージを受けて、「産業スパイ疑惑」を突きつけてけん制する構図だ。

この攻守を「アメリカＶＳ中国」に置き替えれば、２０１９年からアメリカ議会で散々取り上げられてきたファーウェイ問題と、近似していることが理解できる。まさに「いつか来た道」だ。

もっとも、欧と米、米と中の争いのあいだには、同列には語ることのできない違いがある。イデオロギーや政治体制の違いである。だから、それらを「少々脇に置く」と言ったわけだが、現実にはそうした価値観をめぐる根源的な相互不信が米中間を覆っている。中国に向けられる目は、その分だけ厳しくなっているのは間違いない。

ならば、中国にとっての喫緊の課題は、イデオロギーや価値観の違いは「決して乗り越えられない壁ではない」と説得することだ。そこで中国が重視したのが、「利益を共有」するというウインウインの関係であり、また、それに対して中国側がアメリカから「平和的台頭は歓迎する」という言葉をもらうことだった。第１章でも触れたように、このひと言によって中国は一定の安心感を獲得できるからだ。

だが、中国側が強調してきたウインウイン関係は、アメリカの政界にトランプ政権が誕生し「政客」的な大衆煽動型の手法が蔓延したことで、急速に賞味期限を迎える。

中国政府はトランプ政権の説得に努めると同時に、議会やワシントンから向けられるさまざまな疑惑に対し、身の潔白を証明する作業に追われることとなった。ファーウェイの任が表現した「二度、三度、四度と」という段階である。

ファーウェイへの追及では、同社がユーザーの知らないところでこっそり個人情報を抜き取っている「バックドア」疑惑を、自ら晴らすという悪魔の証明を強いられた。逆に、「バックドアがあるというのなら、証拠を示してほしい」とアメリカ側に要求しても、アメリカ当局からそれが示されることもなく、制裁と包囲網作りが進んだ。

この展開のなかでファーウェイは守勢であったが、中国政府は少しずつ反撃に転じた。たとえば、サイバー攻撃や盗聴ならば、まず追及されるのはアメリカではないか、と。

実際、2013年にはCIAの元職員エドワード・スノーデンが、アメリカの情報機関がドイツのアンゲラ・メルケル首相の携帯電話を10年にわたって盗聴していた疑惑や、日本を含むさまざまな国のトップの通話を盗聴していたことを暴露している。日本を含む西側メディアでは、サイバー攻撃といえば中国かロシアの問題と思われがちが、本家本元はアメリカではないか、と中国は返したのだ。

こうした応酬は、「はじめに」でも紹介した2021年3月に米アンカレッジで開かれた米中外交トップ会談でも繰り返された。この会談で楊潔篪は、**「サイバー攻撃を開始する能力や配備できる技術についていえば、アメリカはチャンピオンであると言いたい。この問題について、あなた方が他国を責めることはできない」**と、ブリンケンが投げかけた中国によるサイバー攻撃への疑念に応じている。

楊の指摘には、先ほどの欧州議会議員やスノーデンの件を見てもわかるとおり一定の根拠があるのだが、多くの日本人は彼の主張をストレートには聞き入れない。そこには、先ほど脇に置いたイデオロギーや価値観の違いという〝壁〟があるからだ。

「中国はプロパガンダ巧者」という幻想

この〝壁〟は中国に不利だ。日本の中国専門の研究者は、しばしば「共産党はプロパガンダがうまい」と語るが、そんな場合はたいてい言外に「中国を前向きに評価する人は、共産党に洗脳されている」との軽い揶揄が含まれている。しかし、複雑な気持ちを禁じ得ない。そもそも中国がプロパガンダ上手であるのなら、いまなぜ、これほどまでに世界中で嫌われ、叩かれているのか。説明できる人はいるのだろうか。

２０２０年11月、オーストラリア国防軍の特殊部隊の一部兵士らが、アフガニスタンで39人もの民間人を不法に殺害していたことが明らかになった。その際、中国外交部のスポークスマンが定例会見で「もし、これがオーストラリア軍ではなく中国軍だったら、あなた方はどれほど大騒ぎして叩いただろうか」と語っていた。

これを聞いて、いささか同感する部分があったと同時に、彼ら自身にもイージーターゲットになっているとの自覚があることを知って驚かされた。**イージーターゲットにされるがまま、何も対抗策を打てていないことを告白したに等しい**からだ。

そんな中国を、とてもではないが「プロパガンダ巧者」などとは呼べない。実際、「人権」や「民主」といった価値観で中国が叩かれるとき、中国もそれなりに反論を試みるのだが、それが素直に西側メディアで報じられることはまれだ。

たとえば、原則的には中国の内政問題であり、かつなかなか明確な証拠にたどりつけないウイグル族の人権侵害問題に絡んで、世界には２０２２年の北京冬季オリンピックまでボイコットしようという主張が出てきている。だが、その一方で、他国に軍隊を送り込み、現地で兵士でもゲリラでもない民間人39人——しかもふたりの子どもを含む——を理由もなく殺害したオーストラリア軍の行いが世界的に糾弾されることがないのだから、中国側が不公平と主張するのも無理からぬことだ。

２０２１年4月、福島原発の処理水を海に放出することを日本政府が決定したというニュースが世界を駆け巡った。このとき中国、韓国、ロシア、そして台湾が反発して声を上げる一方、アメリカはブリンケン国務長官がツイッターで「透明性ある取り組みに感謝する」と発信した。すると、中国のメディアが早速反応し、**「中国が汚染水を海に流してもブリンケンは中国に感謝するだろうか？」**と自虐的に報じたのだ。

実はＷＴＯ加盟に不安を抱いていた中国共産党指導部

こうして見ていくと、日頃われわれがいかに一方的な情報に接しているかがわかる。中国のプロパガンダに引っかかるか否かという以前に、別のアングルが存在しないのだ。しかも、日本人にはその基本的なリテラシーもなく、自分の知っていることがすべてと信じている。だが、米中関係を正しく理解するためには、中国の視点を抜きにするわけにはいかない。

たとえば、米中貿易摩擦が激化した理由について、日本にあふれているのは中国側が抱える問題ばかりだ。そして「アメリカが怒るのは当然だ」「アメリカもやっと中国の悪さに気づいた」といった結論で切り捨てる。とくに、トランプ政権下での対中攻勢を正当化したのは、**「経済発展をアメリカが支援すれば、やがて豊かになった中国が民主化へと向かうと信じていたが、裏切られた」**というストーリーだ。第1章で紹介したペンス演説やポンペオ演説にも漏れなく放り込まれている、中国叩きの王道の理由だ。

だが、やはり現実とのギャップ、違和感がどうしても否めない。

中国ウォッチを続けてきて純粋に思うことは、共産党指導部がアメリカと対峙し続けてきたなかで、リラックスしてアメリカと接していたと思しき時期が、おそらくはないということだ。もちろん現状と比べれば、比較的良好だった時期はある。しかし、それにしても彼らが、対米関係で生じる緊張から解放された時期など思い浮かばない。その点は、日本人の感覚とまったく異なる点だ。

アメリカには、常に「共産党政権ではない中国のほうがよい」という〝ベターな中国像〟

があり、それを中国側も意識してきた。

だからこそ中国の発展の原点——本来は第二の高速発展というべきだが——とされる2001年のWTOへの加盟についても、中国の見解はアメリカのそれとは異なるのだ。

前述のペンス演説をはじめホワイトハウスや議会には、アメリカが中国のWTO加盟を後押ししたことを「判断の甘さ」と非難する空気が色濃く広がっている。「親切が仇になった」というとらえ方だ。もちろん西側先進国のあいだでも、おおむねそうした見方が定着している。

しかし、WTO加盟についての中国サイドの受け止め方は、欧米諸国のそれとは大きく違う。というのも、中国がWTO加盟によって大きな飛躍を遂げられたのは、あくまで結果であって、その逆のことが起きていても不思議ではなかったからだ。

2016年1月18日の習近平の談話（中国共産党第18期5中全会の精神を学習、貫徹するための省・部レベル主要指導幹部のテーマ研究討論グループにおける）のなかには、そんな彼らのためらいが漂っている。当該部分を抜粋しよう。

改革開放の初期、われわれが力不足、経験不足の時期に、優位を占めていた西側諸国に対して、われわれは対外開放のチャンスを利用しながらも、腐食されたり食い尽くされたりせずにいられるかという疑問を抱いていた同志も少なくなかった。当時、われわれが関税および貿易に関する一般協定（GATT）の復帰交渉、WTOの加盟交渉を推進した際には、いずれも大きな圧力に耐えてきた。

翌2017年1月に開催された世界経済フォーラムにおける基調演説でも、習近平はより率直に、**「かつて中国も経済のグローバル化に疑念を抱き、WTO加盟にも不安があった」**と語っている。つまり、中国はWTO加盟に強い警戒心を抱きながら、おそるおそる一歩踏み出したのであって、間違っても「お人好しのアメリカを騙して」加盟にこぎつけた感覚ではなかったのである。

経済封じ込めが背後にあった南シナ海問題

いまではグローバル経済の申し子という不動の地位を築いた中国だが、それでも米中の経済関係は常に強者アメリカに対する弱者中国であって、世界のサプライチェーンにおいては「川上＝アメリカ」「川下＝中国」という関係だ。

競争力で大きく劣る自国産業を抱えながら、それでも中国が経済のテイクオフに成功できたことにはいくつかの理由がある。それは徹底した規制の壁で自国産業を守り、慎重に扉を開いていったこと、かつＷＴＯにおいて発展途上国の地位を保ち続けられたこと、さらには技術移転の要求を貪欲に行ったことや自国マーケットの魅力が確立されるまでの長い期間、賃上げを抑制し、世界の工場に徹することができた点にあるといえるだろう。

だが、中東の石油に夢中であったアメリカが、やがてアジアの市場に熱い視線を注ぐようになると事情は変わってくる。アメリカが、アジアでのプレゼンスを高めようとしたことと軌《き》を一《いつ》にして、中国との軋轢《あつれき》も深まっていった。入り口はバラク・オバマ大統領の時代にさかのぼる。

オバマ政権は、トランプ政権と比べ「中国に柔軟であった」と一般的に言われる。だが、この定説も中国のとらえ方とは異なる。なんといってもオバマ時代は、中国を強く悩ませた南シナ海問題が激しさを増した時期であり、アメリカを中心とした環太平洋パートナーシップ協定（ＴＰＰ）が、緩やかな中国包囲網を形成していく時期とも重なるからだ。

南シナ海問題でいえば、日本では「中国が力による現状変更をしている」といった批判とセットになっているが、そもそも中国がこの海域を自国の海だと主張し始めたのは——中華民国の時代を含め——戦後間もなくのことである。つまり、他の対立する国や地域が主張する以前から、というよりも、そもそも、対立する国の多くが誕生もしていない時期からの主張なのである。

少なくとも、「力をつけた中国が後で出てきた」といった、日本でよく聞かれるストーリーではない。とにかく、**中国はずっと領有権を主張しながら、実態は長引く国内の混乱で南シナ海の管理どころでなかった**のである。それでも80年代には、ベトナムと海上で小規模な戦闘も発生し船を沈没させているのだ。

このようにベトナムと海上で衝突した中国を、アメリカを中心とした西側先進国は制裁したのだろうか。中国の行動が適切か否かをめぐり、いま国際社会には中国を非難する声がやまないが、中国の言動は一貫していた。中国にしてみれば、ベトナムの船を沈没させた「過去」からどんな「現状」が変更されたのか、逆にわからない話だろう。

だが2010年代の半ばになると、アメリカはにわかに中国の動きをけん制するようになる。つまり「現状変更」は、むしろアメリカ側で起きたのだ。

中国は、このアメリカの変化を「利益」から読み取ろうとした。それがわかりやすく解説されているのが、２０１６年3月2日付の新華社通信による配信記事だ。タイトルは、〈尹卓：アメリカが南シナ海問題で騒ぎ立てるのは、中国の東南アジアでの経済封じ込めが目的だ〉。文中に登場する専門家の尹卓《インジュオ》は、アメリカがアジアの海に進出してくる理由を、「中国と東南アジアの貿易額が２０１４年時点で４８００億ドルを突破」し、「１９９１年と比べて70倍」にもなっていること。また「東南アジアにとって、すでに6年連続で中国が最大の貿易パートナー」になっているという事実から解説している。

要するに、発展著しい東南アジアにおいて、中国の影響力が強まっていることを警戒したアメリカが、軍事的手段も交えてそれを阻止しようと企てているというのだ。

米軍による「航行の自由作戦」などと聞けば、価値観の違う国から公益を守る対抗策として日本人は頼もしく感じる――実はときには日本にも向けられるのだが――だろうが、中国の目には、その背後の経済的な野心が映っていたのだ。

すでにオバマ政権時代に始まっていた関税制裁

オバマ時代のアメリカが、アジアへの「ピボット」（軸足移動）や「リバランス」（再均衡）

を強調してきたことはよく知られている。また2013年の防衛戦略ガイダンスでも、あらためて「アジア・ピボット」に言及したように、アメリカの対外戦略は明らかにアジア重視に傾いていた。この時期のアメリカの同地域との貿易額は、すでに対ヨーロッパを超えていたことを考慮すれば、アメリカのアジア進出が、インド太平洋諸国との貿易額の増加と相関しているという指摘は、けっして的外れではないのだ。

つまり、いつの間にかアジアは、アメリカの持続的な繁栄にとって死活的に重要な意味をもつまでになっていたのである。

しかもこの時期、世界経済におけるアメリカの存在感は、少しずつ薄れつつあった。わかりやすいのは、世界の貿易に占める各国シェアの変化だ。UNCTAD（国連貿易開発会議）の集計によれば、世界の貿易額の国別のシェアは、輸出では中国（香港含む）が2000年の7％から2019年には16％と大きく躍進していた。これに対しアメリカは同12・1％であったシェアを8・7％にまで落としていたのだ。

同じ時期、輸入においても中国は6・6％だったシェアを13・8％にまで高めている。一方アメリカは、やはり輸入においても18・9％だったシェアを13・3％にまで低下させているのだ。このように、世界経済に占める中国の割合は拡大する一方であった。それと同時に、この統計からは、それまで「世界の工場」でしかなかった中国が、次第に「世界の消費市場」としても重視され始めたことも読み取れるのだ。

世界貿易において、中国がその重要度を増していったことが、米中の貿易構造にも変化をもたらしたことは言うまでもない。日本の内閣府が発行する『世界経済の潮流』や『通商白書』でも、同じ分析が見られる。以下に引用してみよう（『世界経済の潮流２０１８年Ⅱ』）。

アメリカの輸入に占める中国のシェアは90年時点では３・１％に過ぎなかったが、90年代に急速に拡大、２０００年には８・２％に達した。中国のＷＴＯ加盟以降は更にその拡大を加速させ、17年には21・６％に達し、ＥＵを超える水準にまで至っている。

ちなみに２０１７年に中国が対米輸出で獲得した21・６％というシェアは、80年代に日米間の貿易摩擦が加熱した当時の日本の対米輸出が占めていた割合である22・４％に匹敵する水準なのだ。

アメリカの労働者が日本車を破壊したりラジカセを燃やしたり、といったパフォーマンスで怒りを表現していた時代を知る日本人であれば、この数字がもつ意味を理解するのは容易だろう。つまりこの時点ですでに米中の貿易構造は、いつ大きな摩擦が起きても不思議ではない水準に達していたのだ。

自らを「タリフマン」(関税マン)と呼んだトランプが、対中制裁関税の発動を派手に繰り出したことで、米中貿易摩擦イコール「トランプVS習近平」とのイメージが強いが、問題はそれ以前から存在し、アメリカ社会に渦巻く不満も、中国へ向けて噴き出すときを待っていたのである。

事実、**オバマ政権の後期には、トランプ政権と同じく米通商法421条に基づいて、自動車・軽トラック向け中国製タイヤの輸入急増に対処するため、セーフガードが発動されていた**のである。

「世界経済のルールを中国のような国に書かせるわけにはいかない」

少し視点を広げて日本と中国の関係までを俯瞰してみれば、世界の一大消費市場であるアメリカへの輸出で中国が存在感を高めれば、それが当然、日中関係にも影響を及ぼすことは想像に難くない。そして、それが思った以上に劇的であったということは、以下に引用した『通商白書2018』の一文からもうかがうことができる。

アジア太平洋諸国からアメリカへの機械・輸送機器の輸出推移を見ると、中国のWTO加盟前の2000年時点では日本が全体の42・8％、中国が13・3％であったのに対し、2004年には中国に逆転され、2017年現在では、日本の19・7％に対し、中国は51・4％となっている。

もちろん世界貿易における中国の役割が大きくなったといっても、その中身を精査すれば、中国がサプライチェーンの最終工程に位置づけられたという要因を抜きには語れない。つまり、対米貿易に占めていた日本のシェアが単純に奪われたのではないことは明らかであり、それどころか日本がアメリカに輸出し摩擦を引き起こしてきた問題を、中国を経由することで、一部を肩代わりさせたという構造さえ浮かび上がってくる。

だが、中国の勢いはそれを割り引いても日本に危機感をもたらした。トランプ政権に先駆けて日本が中国と深刻な「反日」「嫌中」関係に陥ったのは、まさにこうしたライバル関係が生み出したことだ。

日米が中国の台頭を警戒する流れが定着していくのと同時に、世界経済をけん引してきた西側先進国の世界のGDP成長率への貢献度にも陰りが目立ち始める。原因は西側先進国を中心に長期低成長時代を迎えたことだ。この変化は、そのまま世界の南北間の力関係を大きく変える作用も果たしていく。

象徴的であったのはリーマン・ショック後の世界の流れだ。世界経済の問題に対しては、従来、G7が中心となり対応してきたのだが、その限界が指摘されるようになり、新興国を加えたG20の役割が求められるようになったのである。ブラジル、ロシア、インド、中国、南アフリカのそれぞれの頭文字を並べた「BRICs」という言葉も登場した。なかでも、その中心的存在として注目を浴びたのが中国だった。

こうして順番に見ていくと、日中はもとより米中、そして新興国VS先進国という構図のなかでも、中国を警戒する流れが固っていったことが見て取れる。バランス・オブ・パワーの論理を持ち出すまでもなく、強大になろうとする者に対して抑止の動機が世界的に働いたのも自然なことだったのである。

2015年、オバマが熱心に取り組んだTPPは、中国抑止の意図を強く含んでいた。事実、同年10月5日、米アトランタのホテルでTPPの大筋合意がなされたのを受けて行われた会見でオバマが語ったのは、「世界経済のルールを中国のような国に書かせるわけにはいかない」という有名な一言だった。アメリカの本音に違いない。

一方、中国の目から見たＴＰＰの大筋合意は、日米が中心となって中国の行く手を本気で阻もうとする意図の表出であった。

世界経済のルールを中国のような国に書かせるわけにはいかない――。

オバマの言葉を言い換えれば「異質で、制御ができない巨大な何か」を野放しにはできない、ということになろう。思い出されるのはニクソン大統領のスピーチライターだったウィリアム・サファイアが『ニューヨーク・タイムズ紙』のコラム（２０００年）で紹介した同大統領の言葉、「私たちはフランケンシュタインを作り出してしまったのかもしれない」（１９９４年）だ。

こんな表現をされれば、中国の異質さについつい目を奪われそうになるが、実際の中国は蝸牛《かぎゅう》の歩みながらも、市場開放や参入障壁の撤廃に努め「付き合いやすい国」へと変貌を遂げてきていた。しかも、基本的に中国に進出した企業は、自らの意思で中国から離れなくなる。もちろん稼げるからだ。そんなウインウイン関係が、着々と築かれていったのである。

「反中」の風が引き起こした「政冷経微熱」への変貌

現状でもう一度整理しておかなければならないのは、中国の発展段階が、もはや西側先進国との摩擦が避けられないところに達しているという事実だ。

安価で良質な労働力を多国籍企業に提供することで「世界の工場」となった中国は、当然のように「いつまでも下請けに甘んじていては未来がない」ことに気づく。「メイド・イン・チャイナ」から「中国ブランド」へのテイクオフだ。その結果、中国に進出した西側の企業に対し技術移転を強く求めるようになるのだが、この変化は当然のことながら、進出企業の警戒心を招くこととなる。

同じ時期、中国人の所得が上昇したことを受けて、中国は「生産基地」としての魅力だけでなく「巨大な消費市場」として存在感を高めていった。そして西側の企業は、マーケットパワーを背景とした中国の技術移転の要求に、次第に抗しきれなくなっていくのである。これが、従来のウインウインに陰りをもたらし、政界に吹いていた「反中」の風が経済の熱を少し冷ます、「政冷経微熱」という現象へと変貌していくのである。

ＴＰＰは、そうした空気のなかで生まれた緩やかな中国包囲網だ。その域内の市場規模は、中国のマーケットパワーに対抗できるほど大きく、「中国からルールを取り戻す」ツールとして大いに期待された。歴史の「イフ」に意味がないことは明らかだが、もしオバマ時代にＴＰＰが機能し、中国が渋々ながらも妥協を迫られていたら、現在のような「異質な中国」を対立軸とした醜いせめぎ合いは回避できたかもしれなかった。

だが、周知のとおりトランプ大統領が誕生すると、選挙中の公約どおりアメリカはＴＰＰから脱退した。

そして間もなく、ここまで説明してきたような、新たなやっかいごとが米中間を支配するようになる。結局、オバマがルールや法律を駆使し、仲間と連携して中国の行く手を塞《ふさ》いでいくやり方をとったのに対し、トランプは仲間に頼らず正面から単独で拳を振り下ろす攻撃に転じた。ただ**両者の違いは〝インテリヤクザ〟か〝武闘派〟かというアプローチの問題であり、その根っこにあるアメリカ国民の不満に何らかの対処が必要であったのは、どちらにも共通していた**のだ。

とどのつまり、中国がテイクオフを目指せば必ずぶつかる問題が目の前に迫っていただけのことで、オバマ流にせよトランプ式にせよ、日本人が好んで話題にした「中国にとって、どちらの政権がより与《くみ》しやすいか」を見極める段階は、とっくに過ぎていたのだ。

それでも中国は問題激化の時間稼ぎに奔走した。ファーウェイの任正非CEOの言葉を借りれば、「(われわれの)手順に何か問題があったのではないかと考えをめぐらせた」段階である。中国は2017年のトランプ大統領の最初の訪中時に、米中企業間で総額2535億ドル(約28兆7700億円)の契約を交わす、いわゆる〝爆買い〟でこれを懐柔しようとした。

しかし、こうした手法もトランプ政権の下で完全に賞味期限を迎える。制裁関税の発動と並行して行われた米中貿易協議が、その入り口であった。

アメリカ側がロバート・ライトハイザーUSTR(米通商代表部)代表とスティーブン・ムニューシン財務長官、中国側が劉鶴《リウヘ》副首相を代表とした協議は先が読めず、世界のマーケットがこれに敏感に反応した。交渉が合意に向かえば好感され株価が上がり、悪化のニュースが伝われば暴落するという乱高下のなか、世界経済は厄介な変数に支配され始めたと考える人が少なくなかったはずだ。

また、ファーウェイを通信分野における〝フロントランナー〟にすることは絶対に阻止するというトランプ政権の意思も次第に明確になり、制裁という名の露骨な力技が繰り出され始めた。

しかし、当時はカオスだと思われていたものの、現在から振り返ればまだまだ一定の秩序が米中間に保たれていたのかもしれない。そのころ、アメリカ側が問題視したのは中国が積み上げた貿易黒字だけではなかった。**輸出の環境を整えるための意図的な為替操作疑惑や、中国進出企業に対する立場を利用した技術移転の強要、そして知的財産保護のための法整備の遅れなど、いずれも中国側にも瑕疵《かし》の認識があり、改善の意思も示していた問題だった**からだ。

しかし、その最後の砦は、2020年になって完全に破壊されてしまった。要因は新型コロナウイルス感染症の広がりと米大統領選挙である。コロナ禍により経済にダメージを受けた国の人々が、その最初の感染拡大地である中国に怒りの矛先を向けた流れだ。

中国が6年以内に台湾侵攻するという意味

アメリカの政界において、中国叩きが明らかな「集票ツール」として機能していることは、中国もよく理解していた。いまに始まった現象ではないからでもある。ただ、こうした過程において中国が重視し警戒したのは、米中の競争が、前章で紹介したトランプ政権の「政客」たちによって、明らかに従来の制御可能な範囲を超えていったことだった。

そのバロメーターとなったのが、ひとつは台湾問題を筆頭とした中国が「核心的利益」と位置づける問題への介入だ。それが、どのレベルで起きてくるのかということであり、もうひとつがアメリカの放つ制裁の裏に、「もうこれ以上、中国の発展を許さない」という意図が潜んでいるのか否かであった。

2020年の中国にとって、こうしたアメリカの意図を読み切ることは、コロナ対策と並ぶ最重要課題であった。

まず台湾問題を見ていこう。日本ではこの問題をほとんど認識していない人々と、過剰反応する人々との乖離が激しい。前者は、「台湾には普通に政府もあるし、このまま台湾を国として認めてあげればいい」という考え方の一群だ。

他方、後者は、たとえば2021年3月9日、「6年以内に中国が台湾を侵攻する可能性がある」と米上院軍事委員会で証言した、フィリップ・デービッドソン米インド太平洋軍司令官の見立てに過剰反応して「そうなったら尖閣諸島も沖縄も盗られる。そもそもシーレーン防衛の必然から見ても台湾は死活的に重要。だから日本も台湾を守るべき」と騒ぐグループだ。

だが、どちらの見立ても悲しくなるほど短絡的である。

そもそも台湾問題とは中国を支配する中国共産党にとって、それを失えば執政党として欠格の烙印を押される〝死刑宣告〟にも似た敏感なテーマだ。習近平が台湾独立を許せば、党内には「習下ろし」の嵐が吹き荒れるだろうし、国民から向けられる凄まじい怒りにもさらされることになる。

デービッドソンが語った「6年以内」というのは、1927年の人民解放軍建軍から100周年となる記念日までに、という言葉遊び程度の予告だが、そんな〝軽い動機〟で軍事侵攻という〝重い決断〟をするとは考えにくい。

本書で何度も説明してきたように、共産党は国民を食べさせ、発展させなければならないという使命を負っているが、台湾に武力行使すれば世界からの強烈な逆風と向き合わざるを得なくなり、経済は急減速を余儀なくされる。そうなれば、国民は政権に不満をぶつけることになるのは火を見るより明らかだ。

一方で、たとえ自ら積極的に台湾に侵攻する意思はなくとも、侵攻せざるを得ない状況に追い込まれる可能性もある。それは、台湾が本格的に中国から離れるような動きを見せ、なおかつ世界もそれに応じようとしたときだ。中国共産党のトップは、台湾を取り戻したという栄冠と引き換えに経済を犠牲にするほど愚かではないだろう。だが、その反面、現在のポジションを失い、歴史的な不名誉を背負い続けることを甘受するという考えも、持ち合わせてはいない。

トランプ政権の末期には、中国をその点で追い詰めるような言動が繰り返された。象徴的だったのは第1章でも紹介した2020年7月23日、カリフォルニア州のニクソン大統領記念図書館で行われたポンペオ演説である。そのなかでポンペオは、中国がレッドラインと定めた「ひとつの中国」にも踏み込み、さらに米中断交まで匂わせた。

同時期には、互いの領事館を閉鎖し合う泥仕合も行われていた。さながらチキンゲームの様相を高めるなかで行き着いたのが、台湾海峡での大規模で頻度の高い軍事演習と互いの偵察行為だったのである。

日本のアメリカ研究者のなかからは、「トランプは本気で小さな衝突を望んでいる」と指摘する声も上がった。歴代の政権はたいてい戦争や紛争によって支持率を高めてきたからだが、そうした動機は第1章でも触れたように、コロナ対策でもたついたトランプ政権が支持を回復するためにも不可欠と思われた。

日本には、アメリカが心の底から台湾を心配して行動していると考える人々もいるようだが、無論、そんな理由でアメリカが動くはずない。ただ結果として、海峡の緊張は2020年10月末、台湾がその危険性に気づき急ブレーキを踏んだことで回避された。さすがに、そこまで大国に利用されるほど愚かではなかったことを、台湾自身が証明したのである。

いずれにせよ台湾問題は、中国が「核心的」と位置づける問題のなかでも、最も敏感な類のものだ。1970年代、日本と中国が国交を正常化する過程で発せられた共同声明でも、米中接近のなかで発せられた「上海コミュニケ」（リチャード・ニクソン大統領訪中に関する米中共同声明）でも、明記されている。

また、1960年代に深刻な対立に陥り、「珍宝島事件」という国境での戦闘から全面戦争の危機まで経験した中ソ関係においても、台湾は重要な役割を果たした。両国が再び接近していく過程において、ソ連のブレジネフ書記長が演説で、中国に秋波を送る材料として、わざわざ「ひとつの台湾」に言及したのである。

いまアメリカが、その台湾問題に踏み込んできているという意味は、非常に重いのだ。

中国がギアを入れ直して目指した〝脱米〟

そうした台湾問題と同じように中国にとって重要だったのが、繰り返しになるが「中国をもう、これ以上発展させない」というアメリカの意思の有無である。

ファーウェイ問題で触れた「死を望んでいるか」否か、の見極めだ。

14億人の胃袋をあずかる共産党指導部は、その英知を集結して発展の血路を切り開いていかなければならない。その途上では、〝最悪〟の事態さえも想定しなければならないのは当然のことだ。ここで言う最悪とは、単純に戦争を意味するものではなく、まずはアメリカやそれに追随する西側先進国とのあいだに生じる溝や逆風のことである。そうした包囲網のなかでも生き残っていける、という悲壮な備えをし、最悪の事態を乗り越えなければならない。

では、中国の出した答えは何だろうか。

ひとつは、第一段階として出された「緩やかな〝脱米〟」だ。これはトランプ政権が大統領選挙をにらんで中国叩きを加速する前の段階で、中国がアメリカと距離を置こうと動いた戦略のひとつである。

２０１９年5月26日、ＣＣＴＶのインタビューに応じた中国国際貿易促進委員会の高燕《ガオイエン》会長は、**「東方不亮《ドンファンブウリャン》、西方亮《シーファンリャン》」（東がダメなら、西がある）**と語り、中国が今後向かうべき方向を示している。この「東がダメなら……」は毛沢東の記した『中国革命戦争の戦略問題』にある「中国はいわゆる大国であり、東が明るくなくても西は明るい。南が暮れても北がある」という言葉を引用したもので、「活路は必ずある」という意味だ。

興味深いのは、この高燕の発言にはある意味での〝裏づけ〟があったということである。２０２０年1月14日、中国海関（税関）総署が記者会見で公表した数字からは、べったり対米依存していた中国の貿易に、明らかな変化が起こってきていることが見て取れる。会見した同総署総合統計分析司長は、２０１８年の中国の一般貿易輸出入総額が対前年比で12・5%伸びたことに触れた後、その内訳に言及し、対ＥＵが7・9%、対東南アジアが11・2%も伸びたと胸を張ったのである。

こうした国々との貿易の伸びに比し、**対アメリカはわずかに5・7%増にとどまった**。中国貿易のさらなる体質変化が、数字からも浮き彫りとなったのである。

なかでも、「一帯一路」沿線国との貿易の伸びは出色であった。沿線国全体では対前年比13・3%の増加。個別では、対ロシアが24%、対サウジアラビアは23・2%、対ギリシャに至っては33%の増加という驚くべき数字を叩き出したのである。

西側先進国が当初は冷ややかに見ていた「一帯一路」構想が、じわじわと効果を発揮していることが数字に表れていたのだ。

こうした変化をベースに、コロナ禍における米中対立の深まりを受け、中国は今一度この〝脱米〟のギアを入れ直すのである。

その〝号砲〟が鳴らされたのが、2020年1月末のロス発言をきっかけにしてであったことは、すでに説明した。

悪いことにこの直後から、日本をはじめ多くの国でも新型コロナウイルスの感染が広がり始め、医療物資の品薄が社会問題化していく。

日本ではマスクや消毒薬が薬局の棚から消える現象が起きたが、その原因は医療物資の多くを中国に依存していたことにあった。そのため、中国での製造や流通が打撃を受けると、即座に日本の産業もフリーズしてしまう構造を抱えていることが指摘され、にわかに〝脱中国〟の声が日本を覆った。このリスク分散の動きは当然、「世界の中国離れ」と習近平指導部の目には映ったはずだ。

共産党が抱いた「中国外し」への危機感は、中国自身が対コロナで成果を上げ、いち早く生産再開にこぎつけたことで多少は解消されたはずだった。ところが、国内の問題にメドが立つや否や、今度は欧米を中心にコロナ禍に見舞われ始めるのだ。回復しかけた中国の製造業は、このことで輸出先を失うという新たな壁に突き当たってしまった。

加えて、政治環境の変化という逆風も中国へと向かい始める。

欧米での感染爆発がそれぞれの国民を苛立たせ、それが中国に対するイメージの悪化と重なり始めると、「中国叩きの票田」もたちまち世界規模で広がっていった。これがトランプ政権の仕掛ける「中国責任論」と共鳴――真っ先に反応したのはオーストラリアで、中国はこれに強い憤りを示した――し始めると、中国の危機感も本格的に高まっていった。そして習指導部は、いよいよ〝最悪〟を想定せざるを得ないほど追い詰められていく。

そもそも世界を襲うパンデミックにおいて、最初の感染爆発地に賠償を求めるなどという行為は、国際司法の主権免除を持ち出すまでもなく常識外のことだ。**エイズやエボラ出血熱、SARS、MERS（中東呼吸器症候群）、そして、当初は北米やメキシコと結びつけられ豚インフルエンザなどと呼ばれた約10年前の新型インフルエンザまで、最初の感染拡大地の責任を問う声が高まったことはない。**

主権免除をいったん脇に置いておいたとしても、中国の責任を問うのであれば、当然のことだが今回のパンデミックの原因として、中国が人為的な問題を抱えていたことを立証する必要がある。だが**「中国責任論」は、トランプ政権の仕掛けに沿って、そうした検証が行われる前に世界に広がっていった**のである。

この過程で中国は、世界のリアルをとことん見せつけられたのではないだろうか。ファーウェイ問題において、トランプ政権は当初は国際ルール違反を問いながら、結局は「ファーウェイが通信業界で台頭するのは許さない」という姿勢を隠そうとしなくなったように、「支配する力を持つ者は、必ず支配を実行する」（メロス島に派遣されたアテナイの使者）という古典的なリアルポリティクスに、中国は直面させられたのである。

コロナ禍の〝怪我の功名〟としての「双循環」

２０１９年時点で、「東がダメなら……」と緩やかな〝脱米〟に舵を切っていた中国だが、世界の対中感情の悪化といった逆風を除いても、状況はすでに輸出に頼った経済復興などは望めるはずがないことは明らかだった。つまり、経済復興を果たすためには、内需だけを頼りにするしかないという切迫した状況でもあったのだ。

だが、貿易への依存というアキレス腱を直撃したコロナ禍のなかで、中国はかえってその弱点を補うような危機対応能力を発揮する。それはここ数年よく耳にした「独裁政権ゆえ」の強みではなく、民間経済が持つ変わり身の早さという強みによるものであった。

中国の製造業が生産を再開させた２０２０年3月、国内には輸出先を失った製品が少なからず積み上げられていた。この押し寄せる在庫の波は、予測される失業者の増加という問題と並んで、指導部を大いに悩ませた。

ところが、その最もダメージを受けるはずの輸出業者が、ここで思わぬ自助力を発揮する。スマートフォンを片手に自社製品をネットで大宣伝し、販売し始めたのだ。いわゆる「ライブコマース」である。これにより、海外とのビジネスを断たれた輸出業者と国内の業者のマッチングが、凄まじい勢いで進んだ。そして5月ごろには、**輸出向け製品の7〜8割が国内市場で消化された**とも報じられたのである。

同じころコロナ禍によって、輸出業者と並んで強いダメージを被った観光業にも光が差し始めた。外国人観光客が戻らないなかで迎えた5月のゴールデンウイークの業績が、かなり順調だったのだ。その要因は観光需要の国内旅行へのシフトである。ゴールデンウィークの国内旅行市場は、対前年比で7〜8割という水準にまで達し国内経済を落ち着かせた。この傾向は10月の国慶節でも減速することはなかった。同期間、国内の移動は79％まで回復し、消費市場も対前年比で6・3％上昇したのである。

コロナで大きく傷ついたと思われた中国経済が、ふたを開けてみれば2020年の終わりに、世界の主要国、つまりG20の国々のなかで、唯一のプラス成長を達成したのだ。その背景には、短期間で徹底してウイルスを封じ込めるという政策が奏功したこともあるが、なんといっても輸出業者らが見せた適応力や、中国人の強い消費意欲といった要素を抜きには語ることはできないだろう。そして、この経験が中国と習近平指導部に大きな自信をもたらしたことは言うまでもない。

まさに**〝怪我の功名〟として自国経済のポテンシャルを再確認した党中央は、これをベースに現在の国際環境にも適応できる「双循環」という新たな経済政策を、大々的にぶち上げた**のである。

中国が正式に「双循環」を新経済政策としたのは、2020年秋の5中全会でのことである。だが、習近平が最初にこの言葉を口にしたのは、同年5月末の政治局会議の場であった。つまり、積み上がる在庫をライブコマースで消化した見事なコロナ対応と、5月の連休の国内旅行等の様子が伝わったのを受け、自信をつけて出されたアイデアだったのだろう。

では、双循環とは何を意味しているのだろうか。

「国内大循環を主体として、国内外の双循環が互いに促進する経済の新発展モデル」と説明されても即座にピンとくる人は少ないだろう。日本のメディアのなかには「鎖国経済」などという表現で、共産党の〝真意〟を表現したところもあった。鎖国と言い切ると意味合いが少し違ってくるが、「外需依存から内需依存への転換」という意味なら、そのとおりだ。

中国は「鎖国」や「保護主義」「内向き」といったニュアンスで「双循環」が受け止められることを警戒して、盛んにそうではないと発信した。だが、真意は隠せない。それがよく表れていると思われるのが、党の理論誌『求是』のウェブサイトに掲載された「習近平：『中共中央が制定した国民経済と社会発展に関する十四次五カ年計画と二〇三五年長期目標に関する提案』についての説明」（２０２０年11月３日）のなかの習近平の言葉だ。

改革開放以来、とくにＷＴＯ加盟後のわが国は、国際大循環に加わり資源と市場のふたつを外に頼り「世界の工場」となる発展モデルを形成してきた。（中略）しかしこ数年、世界の政治経済の環境が悪化したことにともないグローバル化の逆流が加速し、ある国が「一国主義」「保護主義」を進めたことで伝統的国際循環は明らかに弱体化した。こうした状況下では、発展の立脚点を国内に置かざるを得ず、またより多く国内市場に依存して経済発展を遂げなければならない。

このように、はっきりと国内に重点を置くことが述べられている。

換言すればアメリカが繰り出す「変数」があまりに不規則、不合理で、もはや外に頼っていては安定した発展は見通せないという宣言といえよう。無論、アメリカ大統領も政府高官も、「中国の平和的台頭を歓迎する」という言葉をもはや使わなくなったことへの反応でもある。

貧困層はそのまま消費市場拡大の「伸びしろ」になる

だが、それにしてもこれだけグローバル化が進み、サプライチェーンが複雑に入り組んだ世界で、国内回帰という〝一本足打法〟に頼って経済を成り立たせるというのは、はたして現実的な選択なのだろうか。

この点について、中国の考えがよく表れているのではないかと思われたのが、2020年9月30日、CCTVのインタビューに登場した中国社会科学院の蔡昉《ツァイファン》副院長の解説だ。蔡は、中国には14億の人口があり、約4億人の中所得者層が形成されているという強みがあるとしたうえで、「消費を引き出すため、公共サービスの向上と所得の引き上げが必要」と指摘した。そして中国は実際に、個人消費に依存した経済構造への転換を進めていくのである。

この流れを受けてか、前述した**5中全会では「所得の伸びと経済の伸びが、ほぼ同じとなること」が目標として明記された。国内の個人消費を盛り上げようとすれば、労働者の懐を温めなければならないということ**だ。

続く2021年の全人代でも、いくつかの経済計画からGDP成長率目標が消えたことが話題となったが、これも習近平指導部の考え方をよく表した変化だった。20年秋から逐次公開された「14次5カ年計画」でも、その「綱要草案」に示された指標の3分の1が民政に関するもので、今後はGDP成長率よりも国民の所得をいかに引き上げるかを重視するという路線に沿っていることがうかがえるのだ。

事実、**2020年の可処分所得はコロナ禍のなかでも対前年比で4・7%増となり、GDP成長率（2・3%）を大きく上回った**。

さらに興味深いのは前出の蔡副院長が、中国の積年の弱点ともされる所得格差を、メディア取材のなかで「むしろ潜在的成長の余地だ」と表現したことだ。これは習政権が政治的課題――次章で説明する「ふたつの100年奮闘目標」として取り組んでいる課題なので、現政権だけの政策ではないのだが――として掲げた「脱貧困」が、思わぬ副産物を生んだことを意味している。

輸出向け製品の国内販路を開拓したライブコマースと同じく、物流から見放されてきた寒村の農産物を、ネットを使い直接都会の健康志向の高い消費者にアピールするという試みが実を結び、いわゆる貧困者が消費者に化ける現象も広がった。20年の貧困地区の可処分所得は対前年比5・6%増だ。

これが、前述の蔡副院長が述べた、**貧困層はそのまま消費市場拡大の「伸びしろ」になる**ということなのである。

ただし、この国内重視は中国の選択というよりも、アメリカによって選ばされた「備え」

という点にも注意を向けなければならない。実は、そのポイントこそ中国が「内向き」ではないと主張する根拠なのだ。

事実、中国はトランプ政権が繰り出す数々の制裁に反発しながらも、一貫して対外開放を進め、外国投資を呼び込む環境を整えることに余念がなかった。2020年11月に記者会見した中国国家発展改革委員会の連維良《リェンウェイリャン》副主任は、北京で行われた第18回中国改革フォーラムで「中国共産党第18期全国代表大会（18大）の開催以降、（中略）市場参入ネガティブリストが全面的に実施され、リストの事項は試行段階初期の328件から年々減少し、現在は131件になった」と市場開放の歩みを強調した。

また、2020年3月の全人代後の内外記者との会見でも李克強総理は、「中国はさらに自発的に対外開放し、今後も外資企業が中国に進出する際のネガティブリスト項目を減らし、サービス業を含む対外開放を引き続き推進する」と述べている。

つまり中国の意図は、「国内重視か」「貿易重視か」ではなく、「並立」にあったということである。当たり前のことだが、できる限り内、外どちらからも利益を得たいのだ。

「RCEP」と「投資協定」という新たな〝生命線〟

そして、中国が進めてきた対外開放の取り組みは、コロナ禍一色に塗り潰された2020年が幕を閉じようとするころ、ふたつの大きな動きとして結実するのである。

その第1弾は11月15日、中国が望んでいた世界最大の自由貿易圏である東アジア地域包括的経済連携（RCEP）の合意、署名にこぎつけるという形で実現した。当日、北京の人民大会堂で第4回RCEP協定の首脳会合に出席した李克強総理が、次のように述べたのは実に象徴的なことだった。

「今日はマイルストーン的な意義のある日だ。われわれ15カ国の首脳は、ともにRCEP署名を見届けることになる。世界で参加人口が最も多く、メンバー構造が最も多元的で、発展ポテンシャルが最も大きい自由貿易圏であるRCEPへの署名は、東アジアの地域協力にとってシンボリックな成果であるだけでなく、多国間主義と自由貿易の勝利でもある」

中国に厳しい論調で知られる『産経新聞』もこれを「（中国の）外交的勝利」と報じたほどだ。そして、2021年4月15日、中国はASEAN事務総長にRCEP協定の批准書を寄託したのである。

もうひとつは、RCEP署名に続く2020年の年末、中国とヨーロッパのあいだで起きた大きな変動である。12月30日、EU・中国間で「包括的投資協定」(以下、投資協定)が原則合意に至ったのだ。

中国は過去30年間で、アイルランドを除くEU26カ国とのあいだに投資保護協定を結んできているので、今回の合意を「小さな前進」と評価する声も聞こえてきた。だが、イギリスのEU離脱やアメリカの新大統領就任といった変数が高まるなかで、その間隙《かんげき》を縫《ぬ》って安定を求める動きが中・欧間に見られたことは、世界経済に大きなインパクトを与えた。

中・欧間の投資協定をめぐる交渉は、2013年から始まったものの、7年間かけても遅々として進展を見なかった。それが2020年になると合意に向けた機運が一気に高まったのだ。交渉の頻度は年間35回を数えた。これは、中・欧間の貿易が活発な現実に後押しされた動きといえるだろう。

中国とヨーロッパを結ぶ貨物列車の輸送量は、あのコロナ禍のなかにあっても対前年比36%の増加と報じられた。これにつれて当然、貿易量も拡大している。

EU統計局が2021年2月に発表した統計によれば、中国とEUの貿易量は昨年、コロナ禍の逆風をはね返し、対前年比で5・3%も増加し、EUにとって初めて中国が最大の貿易相手となった。中国への直接投資（FDI）も活発で、UNCTADが2021年1月に公表した報告書によれば、20年のFDIは対中国が最大で、プラス4%を記録したのである。

これは、世界全体の先進国に対するFDIが69%減と大きく落ち込むなかで達成された数字だ。**中国に流れ込んだ投資額は、平均して毎日100社が設立されるペース**だったという。国別で目立ったのはオランダで対前年比47・6%増であったが、EU域外でもイギリスのプラス30・7%という数字も目を引いた（いずれも中国商務部調べ）。

これを見てもわかるように、中国は自ら進んで世界との関係を閉じようとしているわけではない。**中国にいま起きている変化をあえて一言で表すなら、「海外との貿易依存関係を整理し始めた」ということ**だ。その真意が、アメリカ主導の対中包囲網が形成されても耐えられる態勢作りである。

しかし、実はこれにも補足が必要だ。というのもアメリカとの関係も中国は継続できるのであればそうしたいと願っているからだ。当然のことながら、アメリカと断交するという選択肢は現実的ではない。

米中で逆転したFDI

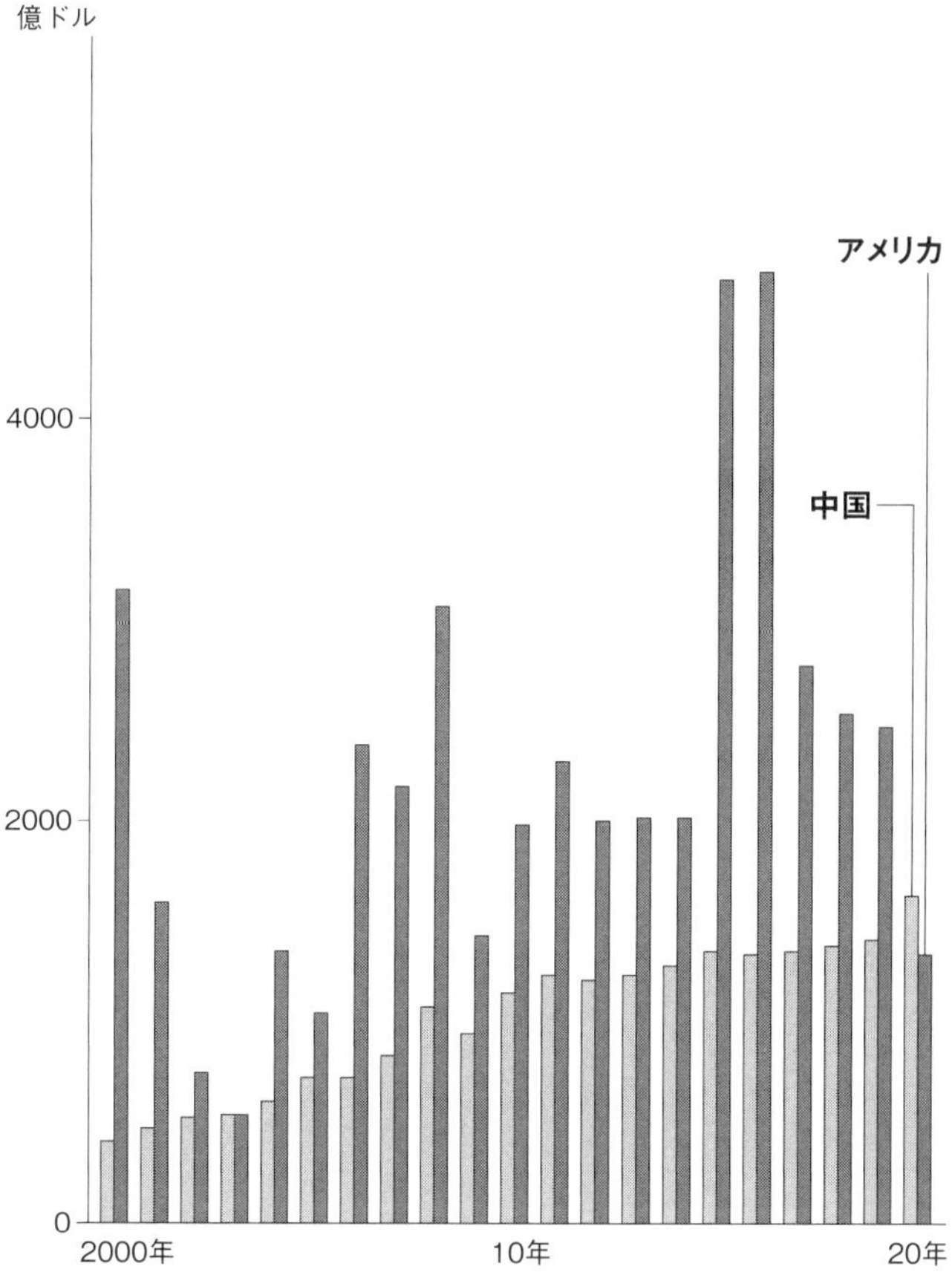

出所：UNCTAD
2020年の世界のFDIは新型コロナの影響で、前年の1.5兆ドル（約158兆円）から42％減の859億ドル（約9兆円）に激減。だが、中国のFDIは4％増の1630億ドル（約17兆1346億円）と、1340億ドル（約14兆861億円）に半減したアメリカを初めて追い抜いた。

一方で中国が、選挙のたびに敵を求め、中国をターゲットにする「アメリカ政治」の影響から自国経済を遠ざけたいと考え始めたことも間違いない。それはアメリカに限らず、西側先進国を中心に広がり始めた「政客」的政治との決別である。

次章では、この点について詳しく触れていこう。

第3章

中国流「民主主義」を貫く〝習近平独裁〟

アメリカ産クランベリーとアメリカ人犯罪者の扱い

米中対立の今後を、どう考えるべきか。

ここまで見てきたように、その構図は単純なようでいて、実は細かく見ようとすればするほど、対立点が際限なく浮かんでくる複雑な問題だ。

経済的な利益獲得のためにアグレッシブに挑戦する中国と、それを退けようとするアメリカの争い。その過程で生じる技術覇権をめぐる摩擦。民主化の要求を通じて独裁体制を崩そうとするアメリカと、それを内政干渉だと拒絶し反発する中国というイデオロギー的対立。またキリスト教的価値観を広めるようとするアメリカに対し、宗教を警戒し強いコントロールの姿勢を崩そうとしない中国という文化的軋轢もある。

あるいは、情報開示が不十分なまま軍事力を高める中国をけん制するアメリカと、大国の権利として国の規模に見合った軍事力を求め、軍拡を止めない中国とのパーセプションギャップ。経済の新たな成長エンジンとなったアジアでの中国のプレゼンスや、世界のルールメーカーとして台頭する中国を煙たく感じるアメリカ……。

文字通り枚挙にいとまがないのだが、思い出してほしいのは中国ビジネスの現場で百出した中国への不満だ。たとえば、**知的財産権の侵害（コピー商品の氾濫）や進出企業に対する技術移転の強要、国有企業への補助金政策や内外企業に対する待遇の格差問題、そして高く設けられた参入障壁や現地で直面する行政手続きのあまりの煩雑さ**などである。さらには、**発展途上国としての地位を生かした有利な貿易条件を押しつけてくる姿勢**なども挙げられる。

欧米から突きつけられたこれらの不満に対して、当初中国は、少なくとも強気ではねつけるようなことはしなかった。もちろん約束したことをなかなか実行しないという腰の重さや、問題解決を先送りしようとする不誠実さは相変わらずあったものの、対応しなければならないというゴールは欧米諸国とも共有していた。なかでもアメリカに対しては、できる限り要求に応えようとした。その中国の姿勢は首脳外交の現場で顕著であった。

またアメリカと取り交わした約束は、たいてい口先だけではなく実行に移されたという。以下に引用する記事（『人民網日本語版』〈中国は発展のチャンスを世界と共有〉2017年11月20日）からは、中国がアメリカからの輸入を増やしてきた実績を必死にアピールする意図がよく伝わってくる。

数年前、中国人にとってクランベリーはまだ馴染みのないものだった。日増しに富裕化する中間層の健康的な果物への需要が急速に伸びるに伴い、中国はわずか4年で米国第2のクランベリー輸出相手国となった。

クランベリーと同様、中国の一般家庭の食卓に並ぶようになったものに、アラスカ産の魚、モンタナ産の牛肉、アイオワ産の大豆がある。トランプ米大統領の訪中時、中米の企業は2535億ドルの経済・貿易協力合意に署名し、二国間の経済・貿易関係に新たな原動力を与えた。

米中の政治動向を反映して、中国人がいきなり見たこともないクランベリーを爆食し始めたというのはちょっとした喜劇だが、貿易摩擦解消の一環として、80年代からアメリカ産の安価な牛肉やオレンジなどが日本に入ってきたのと、同じようなものだろう。

アメリカやヨーロッパからの輸入拡大策という意味では、翌2018年に上海で開催された第1回中国国際輸入博覧会は、中国がさらに輸入を拡大する意思があることを対外的にアピールしたイベントとされている。

さらに先にも触れたように、**中国に進出した企業のあいだで、極めて評判の悪かった知的財産権の軽視や技術移転の強要といった問題についても、罰則を定めて取り締まるための法的根拠となる「外商投資法」の制定に素速く動き出していた**のである。

余談だが、トランプ訪中から間もなく、中国に潜伏していたアメリカ人犯罪者をあっという間に捕まえて、本国に送り返すという〝サービス精神〟を中国政府が見せたのも興味深いことだった。アメリカ側からの要請に従い、中国の警察がこの犯罪事件の捜査に着手したのが8月。それからわずか1カ月半後の9月15日には、犯人を逮捕したという素早さだった。

これはトランプ訪中時に、双方が法律の執行やインターネットセキュリティの分野での協力強化に同意したことを受けた動きだが、それにしても逮捕から送還までの手際のよさは出色だ。逃亡犯の運命も、中国ではやはり政治次第ということだろう。

これらの事例からもわかるように、応じられること、つまり中国が定めた核心的利益に触れないものであれば、中国政府はアメリカからのいかなる要請にも、迅速に対応しようとする姿勢を示してきたのだ。

当時の中国は、北朝鮮やアフガニスタン問題においても、アメリカに積極的に協力することを明言し、実際にそうしていた。その反動として、ロシアとの関係を大きく犠牲にすることさえ厭《いと》わなかったのだ。

現在の米中の状況からは想像もできないほどの素直さだ。しかも、その相手はトランプ政権なのである。

少なくとも当時の米中間にあった問題のほとんどは、最後の着地点を共有でき、主にそこにたどりつくまでのスピードが問われていただけだったのだ。

「民主主義」の名の下で流血を招く〝死神〟

しかし、アメリカに対し一目置くどころか最上級の敬意をもって接してきた中国が、同じ超大国を相手に、その存在さえ全否定するかのような発言をするまでに、態度を硬化させたのである。中国側の怒りの発言を少し振り返っておこう。中国が態度を変えた理由は、そこからも確実に読み取れるからだ。

典型的なのは2020年7月17日、ロシアのセルゲイ・ラブロフ外相と電話会談を行った王毅《ワンイー》国務委員兼外交部長（外相）の発言だ。

王はかねてから、現在の世界が直面している最大の脅威は、「（アメリカの）一国主義や覇権行為」だと主張していた。そして、ラブロフ外相との会談では、より具体的に、「（アメリカは）自国第一の政策を露骨に遂行し、利己主義、一国主義、覇権主義を極限まで推し進めており、大国としてのあるべき姿は残っていない」と強く批判。最後には「国際関係において係争や対立を作り出してすらおり、すでに理性、道徳、信用を失っている」とまで言い切ったのだ。

こうした中国外交部の考え方を反映してか、２０２１年4月29日には駐日本中国大使館がアメリカを〝死神〟にたとえるツイートを発信して物議をかもした。

イラストには、星条旗をまとった死神が、斧を持ってイラク、リビア、シリアなどと書かれた各部屋の扉を叩く姿が描かれていて、それぞれの部屋からは血が流れ出ている。そして、その説明文には日本語で「アメリカが『民主』を持って来たら、こうなります」とあった。さすがに数日で削除されたが、アメリカにとっての核心的利益である民主主義を正面から揶揄したようなやり方には驚かされた。

あと一歩で、トランプ大統領を「老いぼれ」と罵った北朝鮮のレベルにも達しようとする〝口撃〟だが、中国が言わんとすることはよく伝わってくる。それはすなわち、中国に多種多様な制裁を発動する際の正当性の根拠として持ち出される「民主」、あるいは反中国の連帯を国際社会に呼び掛ける際に、彼我の価値観の違いとして強調される「民主」は、結局のところ気に入らない敵を叩くための〝方便〟でしかないのだ、という強烈な皮肉なのだ。

ペンス演説で孵化し、ポンペオが民主主義VS専制主義、もしくは自由主義VS全体主義という価値観の相克に昇華させた対立軸へのアンチでもある。

もちろんアメリカが唱える「民主」が、すべて方便であるという意味ではないし、アメリカ国民にとっては、宗教にも匹敵する大切な価値観であることは、中国も認識していないわけではない。人類が長い歴史を経てたどり着いた大切な価値観として、「民主」を蔑《ないがし》ろにする意図もないはずだ。

実際、中国が「民主」を深化させることについて否定したという話を聞いたことがない。共産党が「中国には中国の民主がある」と繰り返すのは、進むべき方向は共有しているが、そこにはスピードも含めた差異があるということだ。つまり**中国が主張しているのは、「民主」という基準において中国に遅れがあったとしても、対立勢力として敵視される覚えはないということ**なのだ。

アメリカは「民主」と流血をもたらす“死神”？

中華人民共和国駐日本国大使館
@ChnEmbassy_jp
China government organization

米国が「民主」を持って来たら、こうなります。

午後7:34 · 2021年4月29日 · Twitter Web App

2021年4月29日、駐日中国大使館のツイッター投稿。星条旗をまとった死神が、イラク、リビア、シリアなどを次々と訪れては、国民の流血沙汰を起こしているとするもの。ネット上で批判が相次ぎ翌日には消去された。

「九段線」に先がけて定められた「十一段線」

アメリカが貿易摩擦を入り口に他国を強烈に攻撃するのは、日本人には馴染み深いものがあるだろう。日米貿易摩擦において、日本人はアメリカのメディアで「エコノミック・アニマル」「ドブネズミ族」と、その異質性を強調されるという文化摩擦を経験した。ここに一定のブレーキが作用していたのは、おそらく日本が軍事力を持たなかったためだ。日本では、米中貿易摩擦とかつての日本との貿易摩擦を区別し、「いやいや、日米と米中では対立の質がまったく違う。アメリカが、やっと中国の問題に気がついたんだ。だから摩擦が激化したのだ」と分析する声も聞かれる。しかし、それはあまりにもご都合主義的な視点と言わざるを得ない。

第一、トランプ政権下で指摘された中国の問題は、ほとんど「古くて新しい問題」であって、新鮮味のある話ではない。中国を批判するときによく使われる「力による現状変更」についても、中国が何を「変更」しようとしたのか、はっきりしない。

実例として、第2章でも少し触れた南シナ海などの海洋問題を掘り下げてみよう。

中国が領有権を主張する、いわゆる「九段線」には前身がある。「十一段線」である。

これをしいたのは戦後まもない1947年――その前にも1930年の地図に書き込まれているが――、中華民国（現在の台湾）だ。

そもそも南シナ海の島々は第2次世界大戦中、日本の支配が及んでいた。その日本の敗戦で力の空白が生まれると、戦勝国である中国が支配を主張したという流れだ。

現在、領有権を争う6カ国・地域が、台湾を除き国としての形を整える前のことである。中国が領有を主張する九段線は、国連海洋法上の問題が指摘される反面、主権の主張過程には不自然なことは見当たらない。岩礁を無理やり埋め立てて滑走路などを造成したことが問題視されているが、もしそれが現状変更というのであればフィリピン、ベトナム、台湾も同じであり、むしろ中国は出遅れていた。そうした国々の空港がみな、中国の空港がかすむほど立派なのはそのためだ。

また海底資源の開発についても、同海域にドリルを入れたのは中国が最後発である。本来、係争海域での開発は、いかなる形であっても国際法違反となる。それは、どの国であっても同じのはずなのに、なぜ他の国が行った際には誰も何の声も上げず、中国のときだけ問題視するのか。これが中国の主張のキモだ。

同じように日本が抱える懸案、尖閣諸島をめぐる領有権問題――日本側の基本的立場は「解決すべき領有権の問題は存在していない」というものだが――はどうだろうか。1960年代に国連機関が「膨大なエネルギー資源」が尖閣周辺に眠っているという報告が出されたのをきっかけに、70年代に入り中国がにわかに、かつ猛烈に領有を主張し始めたという「後出しジャンケン」の感は否めない。日本の主張の根拠もしっかりしている。だが、問題そのものは日中国交正常化交渉のときから認識されていた。

現状変更という意味で言えば、2012年以降の尖閣周辺海域への中国公船の侵入の常態化が真っ先に頭に浮かぶが、この問題に限れば、その引き金を引いたのはむしろ日本側だった。2012年、民主党の野田佳彦政権による、尖閣諸島の〝一部国有化〟がそれに当たる。

この行為によって、中国共産党のメンツは丸つぶれとなったのは間違いない。尖閣諸島は日本固有の領土であり、領有権の問題はないのだから中国のメンツなど考慮する必要はないという意見もあるだろう。たしかに正論に聞こえる。が、その場合、中国にも同じ理屈がまかりとおることになり、その結果として公船の侵入常態化があるとすればどうだろうか。それくらい領土問題は難しいのだ。

中華民国が戦後に定めた「11段線」

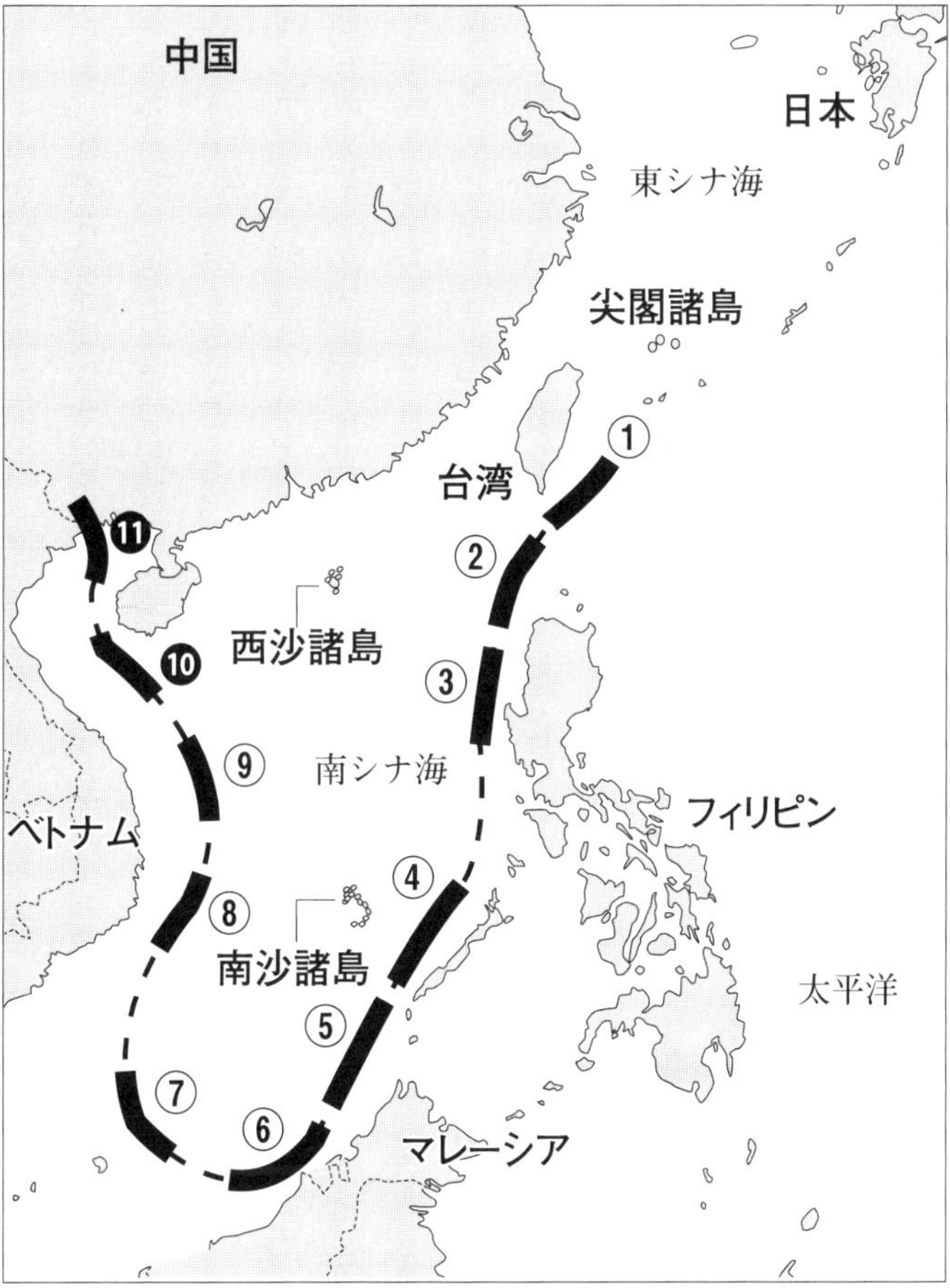

実質的な台湾の駐日大使館である台北駐日経済文化代表処のホームページに、「日本は1939年に我が国の南海諸島を不法に占拠」「いかなる国がいかなる理由または方式で主張または占拠することも不法」などと記載しているように、台湾も南シナ海の領有権を強く主張している。

そもそも中国側は2008年、胡錦濤国家主席が日本を訪問し、当時の福田康夫首相と発表した「戦略的互恵関係」の包括的推進に関する日中共同声明のなかに「共に努力して、東シナ海を平和・協力・友好の海とする」という一節があるのに何なんだいったい、と怒りを爆発させた。つまり日本とは、問題の見え方がまるで違うのだ。

もちろん日本の立場からすれば、中国も沖縄と中国大陸との中間に引かれた「日中中間線」のギリギリで油田開発を進めるなど、日本側を苛立たせる行為を繰り返していたのだから、という理屈なのだろう。しかし、〝尖閣の一部国有化〟は、中国政府が自らのメンツを保つためにも、強い報復に出ることが予想できたことだった。

こうした話題と同列で批判の的となる人権問題についても、「変更」という批判は的を得ているとはいい難い。

たとえば香港――そもそもこれも内政問題なのだが――の民主化運動をめぐる問題だ。たしかに習近平政権になって以降、中国大陸において言論空間の縮小が明白になるなど、香港の人々が未来を憂いたくなる変化は起きていた。しかし香港の民主化デモが、単純にそうした中国支配への懸念だけから説明できるかといえば、決してそうではない。

中国共産党との対決姿勢を鮮明にする台湾の民進党や、それに連なる政治勢力、またアメリカやイギリスなど外国勢力の関与は、常に香港の民主化運動を過激にリードする人々の背後にあって影響を及ぼし続けてきたからだ。

香港やウイグルなどの問題は、いずれもかなり複雑な話なので紙幅の許す範囲で、第4章でもう一度触れることにしよう。

「石油のための戦争」の次に来るターゲット

では視点を変えて、一方のアメリカの動きという角度から見てみよう。

興味深いのは、アメリカは自ら大きな方向転換を公言していることだ。

代表的なのが2011年10月、当時のヒラリー・クリントン国務長官が『フォーリン・ポリシー』誌に発表した「アメリカの太平洋の世紀」と題する論文だ。この論文は、次のような一文でスタートしている。

政治の将来を決めるのはアフガニスタンでもイラクでもなくアジアであり、アメリカはその活動の中心にいる。

さらに翌12年に公表された「国防戦略指針」では、「台頭する中国をにらみながらアメリカの戦略的基軸をアジアに移し、中国とリバランスを目指す」と明記した。有名な米海軍の60％をアジアに、という「アジア・ピボット」、あるいは「リバランス」政策である。

この変化は、アメリカがシェールガスの開発に成功したことで産油国となり、中東への興味を失ったことで生まれたともいわれる。これからは石油ではなくアジアの潜在力だ、というわけだ。少し不気味な話だが、２０２１年4月5日、米ＣＢＳ放送は「(アメリカは)何世代も石油のために戦争をしてきた」と発言した、カマラ・ハリス副大統領の講演の様子を報じている。

この発言が米中対立のすべてとは言わないが、アジアの環境がにわかにキナ臭くなった背景には、中国の肥大化という要素と同時に、こうしたアメリカの出方もあると考えるべきだろう。

もちろん、理由がどうであれ、現状、アメリカ政府や国民は中国への怒りを募らせている。米中が激しく角を突き合わせれば、この地域の国々が巻き込まれていくことは避けられないだろうが、せめて日本くらいは、頭を冷静にして無益な争いからは距離を取るべきだ。だが、現在の立ち位置ではなかなかそれも許されない。
「民主主義VS専制主義」「自由主義VS全体主義」の戦いという対立軸は、現在のバイデン政権においてもおおむね継承されている。この二択は、いずれも価値観を共有する西側先進国の国民であれば、迷う余地のない話だからだ。

従軍慰安婦問題をほじくり返すブリンケン国務長官

日本人の視点から隣国・中国を眺めたとき、アメリカに対抗して軍拡に走り――台湾問題を抱えているためでもあるが――、情報開示も不十分なまま膨張を続ける中国に懸念を覚えないはずはない。中国共産党指導部は口を開けば「覇権は求めない」と繰り返すが、強大な力を持った後で、その約束が履行され続けるという保証はない。ゆえに隣国の常として、中国に対する警戒を緩めるという選択肢などあろうはずがない。

そんなことは大声で喚かなくとも当たり前のことだ。だが、もし**隣の国への恐怖が大きくなりすぎるあまり「中国恐怖症」に陥ってしまえば、逆に日本の安全保障にとってマイナスとなる**ことは案外見落とされている。

第1次世界大戦前のオーストリアが「ロシア恐怖症」を患い、それが一帯に不穏なガスを充満させ――もちろん第1次世界大戦の始まりが、それだけで説明できるという話ではないが――、最終的にそれが自らも巻き込む〝業火《ごうか》〟となってヨーロッパ中で燃え盛ったのは、ひとつの歴史の教訓だ。

日本外交がそうした傾向を帯びて以降、アメリカとの強い結びつきだけを強調し、中国や北朝鮮、韓国に強気な発言さえしていれば、それで、ひと仕事終えたように振る舞う政治家ばかりが跋扈《ばっこ》するようになった。その強気なハンドリングの下で、過去20年、日本外交はいったいどんな成果を得ることができたのだろうか。

北方領土問題や尖閣諸島問題といった、高等数学的な〝関数〟への対応力を問うているのではない。周辺の国々との地道な交流を積み重ねながら関係を築き、日本にとって安全な環境を少しでも広げるという、極めて初歩的な〝四則演算的対応〟を問うているのだ。

東西分断の枠組みのなかで、同じ価値観を共有していると思われてきた韓国との関係でさえ、いまや最悪と表現されるほどの状況に陥っている。「それは韓国が悪いからだ」と言うのは簡単だ。だが、ロシア、中国、北朝鮮に囲まれた状況下で、韓国とまで対立すれば、その不利益は確実に日本にのしかかってくる。

ある意味で「平和ボケ」と言わざるを得ない、こんな外交が通用するのも、日本がアメリカという後ろ盾を過大評価しているからである。そしてたどり着く果ては、「すべてアメリカ次第」という思考の停止、努力の放棄だ。

北朝鮮の核開発問題、あるいは拉致問題、そして中国との尖閣諸島問題と、日本が独力では解決できそうもない問題が山積しているうえに、韓国問題だ。韓国とのあいだで引きずる慰安婦問題などをめぐって、日本は大使を召還しようとしたり、安全保障を理由に韓国産業に不可欠な原材料の輸出を制限したりしたが、いずれも不発に終わっている。

そして2021年、その韓国に日本は、ひとり当たりの平均年収（ドルベース）で抜かれるという屈辱も味わった。いよいよ日本は「日本のほうが韓国よりアメリカに近い」という一点により強くしがみつくしかなくなったのである。

もちろん、対米依存一本やりでも国益につながれば問題はない。だが、現実には落とし穴が多々ある。

たとえば、ブリンケン国務長官の慰安婦問題に関する発言だ。2021年3月19日付『中央日報』は、韓国KBSのインタビューでブリンケンが**「第2次世界大戦当時、旧日本軍によることを含んだ女性に対する性的搾取は深刻な人権侵害ということをわれわれは長い**

間語ってきた」と述べたと報じている。中国を人権問題で攻撃した理屈にも通じる発言だ。

こうなると日本では「トランプ政権はよかった」という方向に話が進みがちだが、そのトランプこそがアメリカ・ファーストで日本と向き合った大統領であったことを忘れてはならない。大統領就任後の訪日では、ダグラス・マッカーサー元帥以来となる「いきなり横田基地に降り立つ」パフォーマンスを行い、続く首脳会談では「非常に重要なのは、日本が（アメリカから）膨大な兵器を追加で買うこと」とあからさまに要求したのだ。

この会談の成果は、北朝鮮の脅威に向き合う日本が大量の兵器を購入することで、アメリカから「日米が１００％ともにある」とか「（北朝鮮に）最大限の圧力をかける」といった言葉を引き出したことだとされた。

しかし、その後の朝鮮半島はどうなっただろうか。

翌年、米朝が緊張感を高めたことはあったが、多くの大国の利害が絡む半島において、ある時点を境に話し合いのムードが急速に醸成され始め、訪日時には「（日米が北朝鮮に）最大限の圧力をかける」と勇ましかったトランプは手のひらを返した。その結果は言うまでもなくベトナム・ハノイでの初の米朝首脳会談の実現だ。ノーベル平和賞が欲しかったのか、それとも国内向けに外交の勝利をアピールしたかったのかは不明だが、いずれにせよ日本のはしごはあっさり外されてしまった。

慌てた日本は、当時の安倍政権が従来の姿勢を一転させ、「金正恩《キムジョンウン》委員長と条件をつけずに」とトップ会談を模索したが、北朝鮮は素っ気なかった。

その後、米朝の接近が停滞したことで、日本は一息つくことができたが、それとはまったく関係なく、**北朝鮮の核ミサイル開発は以前にも増して加速している。迎撃がほぼ不可能とされる極超音速ミサイルと思われる新型ミサイルの発射実験までを行い、ついには潜水艦発射型ミサイルの試射までやってみせた**のである。保有する核弾頭の数も激増した。

ここにきて日本でも、対敵基地先制攻撃のハードルを引き下げる必要性が叫ばれるようになり、憲法の制約と並んで強硬派の新たな熱い論点となっている。

だが、この議論には常に深刻な落とし穴がつきまとう。先制攻撃をすべきか否かの賛否が強調されすぎるあまり、日本に本当にその実力があるのか否かの議論が、おろそかになってしまっているのだ。

先制攻撃についての技術的問題を挙げればきりがない。そもそも北朝鮮の「不穏な兆候」を、どうやって正確に察知するのか。そんなわかりやすい兆候を、北朝鮮が一朝有事の際に見せてくれるのだろうか。また、仮に米軍が提供する情報でミサイルの位置は特定できたとしても、本当に他国を攻撃するという極めて重大な決断を誰が下せるのか、という問題も残る。さらに、そのハードルを乗り超えることができても、敵がゆっくり液体燃料を充塡してくれるわけではなく、本気になれば可動式の発射システムもあれば、潜水艦発射型もあるのだ。

こうして考えていったとき、やはり日本の安全をより確実に担保しようとすれば、その最短の道は、まず北朝鮮とのあいだにきちんとした話し合いのチャネルを持つことではないだろうか。つまり外交を軽視し、話し合いを「平和ボケ」と批判しても、最終的にはここに戻ってこざるを得ないということだ。

こんなことは本来、ヨーロッパがなぜあれほどの戦乱のなかから、「外交」という手段を生み出し、日々それにいそしんでいるのかを知っていれば、これほど遠回りして説明する必要もないことだろう。

そもそも、**北朝鮮が核を開発しているのだから「こちらも」というのは、せいぜい中学生が夢想する非現実的な対抗策である。大人であれば、こうした考えこそ典型的な「安全保障のディレンマ」だということを理解しなければならない**。そして、現在の国際社会の秩序を支えている微妙なバランスと、日本の置かれた立場を踏まえたうえで、現実的な安全保障について議論すべきではないだろうか。

領有権訴訟を裏から操った英米の敏腕弁護士たち

少し論点をずらして北朝鮮の話をしてきたが、同じことは対中政策にも当てはまる。

すでに本章の前半でも触れたように、石油に対する興味が失われたアメリカが、次に成長が予測されるアジアに注目し、〝蜜〟を求めてシフトしてくるなかで、その最大の障害として中国との対立が激化したと書いた。

こうした構造を前提としたとき、アメリカが自国のエネルギーをできるだけ費やさずアジアで確固たる足場を築こうとすれば、やはりこの地域にある対立を最大限利用することが近道となってくるのである。

オバマ政権が「ピボット戦略」に傾いたのと同時に、南シナ海で〝波〟が高まったのは決して偶然ではない。当時のフィリピンのアキノ政権が、手始めとして中国にけしかけたと疑われる痕跡が、少なからず見つかるのだ。

たとえば、南シナ海の領有権問題で、アキノ政権が中国を相手取って起こした仲裁裁判である。オランダ・ハーグの仲裁裁判所への提訴は2013年1月。そして3年半後、中国の主張する九段線は認めないという裁定が下されたことはよく知られているが、その仲裁判断書を見ると、**フィリピン側の代理人の欄には、米マイアミ大学ロースクールの教授（Bernard H. Oxman）をはじめ、英米の有名弁護士事務所の敏腕弁護士たちの名がずらりと並んでいる**のだ。これは、中国を批判する日本人がほとんどは知らない事実だろう。

南シナ海問題といえば、日本のメディアは中国の傍若無人な振る舞いばかりにスポットを当てようとするが、そんなワンパターンな報道に慣れてしまった日本人の無知を嘲笑《あざわら》うかのような狡猾さだ。これこそ国際社会が抱えている残酷な一面であり、最終的に日本が南シナ海でのアメリカの行動を支持するにせよ、距離を置くにせよ、前提となる事実だけでも最低限、きちんと把握しなければ、その選択によって自らに降りかかるリスクの計算も成り立たない。

もっとも、係争当事者たちは日本人ほど能天気ではなかったようで、この裁定を「正義の実現」などとは受け止めなかった。中国に不利な裁定ならば、本来、中国の影響力を削ぐ絶好の材料として当事国が利用しても不思議ではなかった。しかし、どの国や地域も、この裁定をもって中国を攻撃することには消極的だった。それは、アメリカの思惑が南シナ海を「誰のものでもない海」にすることにあることを、裁判を通じて感じ取ったからである。

また、その思惑に安易に乗れば、この一帯に新たに不安定要素が入り込むという危険性を重視したからなのだろう。事実、**裁定の発出から中国とＡＳＥＡＮは、関係を悪化させるどころか、むしろ滞っていた『行動宣言』を『行動規範』に格上げする動きを急加速させるなど、かえってその距離を縮めた**のだ。

このように力と力、思惑と思惑が絡み合って一筋縄ではいかないのが国家間の争いだ。しかも南シナ海で争う当事国・地域とアメリカの思惑だけでなく、まさにフィリピンが南シナ海問題で訴えを起こしたように、主要国以外の〝バイプレーヤー〟が絡んでくる余地もある。アメリカが狙っているように、南シナ海が「誰のものでもない海」となるのであれば、なおさら利権を求めて参入してくるだろう。

本来、「経済発展をした中国が、力を背景に南シナ海に強引に出てきて周辺の小国をいじめている」という程度の理解では通用しない、複雑な要素が絡み合っているのだが、たちの悪いことに、国際問題を熱心に知ろうと新聞を熟読し、「オレは、頭が悪くないから騙されないぞ」と思っている人こそ、陥りやすい〝穴〟がいくつも待ちかまえているのだ。

さらに、そこに〝中国憎し〟の感情があればなおさらだ。

そうした〝中国憎し〟の感情は、当然のことだが大国に利用されやすい。極めて大雑把に言えば、日露戦争は日本の「ロシア恐怖症」をイギリスが利用した——ボーア戦争に力を削がれ、ロシアのアジア進出をけん制できないので日本をけしかけた——戦争と見ることもできる。奇跡的な講和が成立したからよかったものの、本来であればあの戦争の時点で、致命的な結果が日本に降りかかっていても不思議ではなかったのだ。

いまさら言うまでもないが、わが国は経済大国だが大国ではない。そうでなければ大国の思惑が圧倒的に影響する国際社会において、利用されないことを心がける必要がある。そして、それを避ける絶対的な条件は、特定の国との決定的な敵対関係を回避することなのだ。

2000年代に入って以降、わが国の歴代政権が北朝鮮による拉致問題で大国からの協力の言葉を引き出すだけのために、どれほど外交的資源を浪費し続けてきたことだろう。その結果として何を手に入れたのかを冷静に考えれば、その収支が大きなマイナスだということに容易に気づくはずだ。

中国との戦いをトランプ流ロジックで正当化したバイデン

２０２１年4月28日、一般教書演説を行ったバイデン大統領は「われわれは21世紀を勝ち抜くため、中国やその他の国との競争のなかにいる」と言及した。そして習近平国家主席をはじめとする中国共産党指導部を**「専制主義者の彼らは、民主主義は21世紀において専制主義に対抗できないと考えている」**と述べ、この戦いをあらためて正当化した。

専制主義から自由を守れというスローガンは、「なんとなく中国が嫌い」というあいまいな感情に「正しさ」をもたらしてくれる魔法の言葉である。だが、西側諸国の言う自由は、本当に誰にとっても等しく享受できる自由なのか。

違うだろう。トランプ政権が中国に向けて発動した制裁関税や特定企業の排除、サプライチェーンから中国を排除しようとの呼びかけは、戦後安全保障の基本となった「大西洋憲章」の精神、なかでも通商の自由に反する行いとも考えられるからだ。

大西洋憲章は第2次世界大戦中に、再び戦争を起こさないようアメリカのフランクリン・ローズヴェルト大統領とイギリスのウィンストン・チャーチル首相が打ち出した新たな国際協調のあり方についての指針であり、のちの国連憲章にもつながる。その土台となる考え方は領土不拡大、政体選択の自由、通商・貿易の自由、資源の開放、安全保障体制の確立など8項目から成る。

世界経済のブロック化が第2次世界大戦の原因のひとつとなったことから取り入れられた通商・貿易の自由は、戦後はGATTとして具現化され、1995年からはWTOへと引き継がれた。そのWTOは2014年、中国の日本、アメリカ、ヨーロッパに対するレアアースの輸出規制に対し「協定違反」だという判決を下し、中国はそれに従わざるを得なくなった。

WTOは、その6年後の2020年9月、トランプ政権が発動した対中制裁関税に対して「国際ルール違反」だという――上級委員会はアメリカの妨害で開けていないが――判決を下している。

だが、こうした事実があるにもかかわらず、アメリカは対中制裁の流れに各国を巻き込もうとしている。そして、その錦の御旗として掲げているのが「自由主義VS専制主義」の戦いである。

そのことは何度も説明してきたが、ここで立ち止まって考えなければならないのが、はたしてそんな戦いが存在しているのかということだ。

中国は本当に自由主義に挑戦しているのだろうか。

２０１９年にわれわれが目の当たりにした香港のデモ弾圧こそが、その証左ではないか、という声が聞こえてきそうだが、それについてはのちに触れることとして答えを急げば、現状では明らかに「ＮＯ」だ。

もっとも中国はここ数年、自らの政治体制や制度に「自信をもて」と強調し続けている。**２０１６年には習近平はスピーチにおいて、それまでの「３つの自信（道〈＝社会主義の発展の方向〉・制度・理論への自信）」のうえに、さらに「文化への自信」を加えた。**

またトランプ政権下で見られたある種のアメリカ式民主主義の混乱を目の当たりにして、その危うさを外交部のスポークスマンレベルで揶揄することもたびたびだった。しかし、だからといって中国が世界に専制主義を広めようとした形跡もなければ、西側的民主の根本的な考え方について否定的な考えを示したこともない。

これも繰り返しになるが、中国は自分たちの政治体制が「専制主義」だとは認めていないのだ。

中国共産党による西側的民主主義の意外な位置づけ

では、改革開放へと踏み切って以来、中国共産党は西側的民主主義をどのように位置づけてきたか。それは否定でも対決でもなく、違いを強調してきたというのが正確な見方となる。中国が一貫して主張してきたのは、国情や体制の違いを考慮することなく性急な民主化を中国に押しつけるな、ということなのである。

たとえば、中国が民主をどのように考えているのか、そして民主化を求めるアメリカなど西側先進国の要求をどう考えているのか。習近平はまず、「人民民主は、中国共産党が終始高く掲げる旗印である」としたうえで、こう語っている（全国人民代表大会成立60周年祝賀大会におけるスピーチ「中国の特色ある社会主義の政治制度に対する自信を固めよう」2014年9月5日）。

歴史を切り離し、突然よその政治制度をそのまま持って来ることは想像できない。（中略）どこでもあてはまる千篇一律の政治制度というものは存在しない。政治制度において、他の国にあってわれわれにないものを見つけてわれわれに欠陥があると決め込み、そのまま移植しようとする。（中略）これは単純化された一面的な見方であり、正しくない。

つまり、**対立軸を設けているのではなく、やり方やスピードが違うと言っている**のだ。

実際、胡温体制時代（胡錦濤国家主席、温家宝《ウェンジアバオ》総理）には、温家宝がＣＮＮのインタビュー（２００８年９月29日）に応じたなかで、「民主選挙制度」の確立や「メディアなどによる政府の監視」について言及。政治改革の必要性を強く主張して、世界を驚かせたことさえあったのである。

こうした民主化が加速する流れは、習近平政権になってたしかに影を潜めてしまったが、それでも中国は、自らを対立するイデオロギー戦争のなかに置くことはなかった。そして「新冷戦」という言葉が世界に広がった後には、「そんな対立はない」「（新冷戦に陥ることは）愚か」と否定し続けているのである。

そもそも、中国に進出した多くの企業はアメリカ系を含め、「中国が仲間だから」とか、「将来の民主化を期待して」投資したわけではない。儲かると考えたから中国に行ったのであって、現実に圧倒的多数の企業が利益を手にしたのである。だからこそ、米中の経済界は深い相互依存関係やウインウインの関係を築くことができたのだ。

米中貿易から利益を得てきた多くのアメリカ企業は、おそらくポンペオ前国務長官が仕掛けたイデオロギー的相克に戸惑ったはずだ。2020年秋、3500社以上の米企業が連名で対中制裁関税を発動したトランプ政府を相手取って訴訟を起こし、その翌年3月には米航空機大手ボーイングCEOが、中国との関係で「貿易と人権問題を分けて考えるべき」と米政府に求めたことは第1章でも触れたとおりだ。

2021年と2049年に結果が出る「ふたつの100年奮闘目標」

もちろん中国は、決して社会主義国としての看板を下ろしたわけではないし、目指すべき未来に共産主義があるという道から外れたわけでもない。「中国の特色ある社会主義」について習近平は、「マルクス主義の中国化の最新の成果」だとも語っている。さらに、「マルクス・レーニン主義、毛沢東思想は絶対に捨ててはならない」として、それを捨てれば「根がなくなる」と警戒もしている。

だが一方で、現実に目にする中国社会からは、社会主義的要素が薄まり続けている。こうしたギャップは、どうして生まれてくるのか。その答えを誤解を恐れずに言えば、**中国は改革開放政策により、社会主義建設を「一時的に封印した」**からではなかろうか。

そのギャップを埋めるキーワードは、「社会主義初級段階論」である。この理論は1987年、中国共産党第13期全国代表大会において、当時の趙紫陽《ジャオズーヤン》総書記の政治報告のなかで提起されたが、その源流は鄧小平まで遡《さかのぼ》ることができる。

1976年、文化大革命が終わり、三度目の復活を果たした鄧小平がまず説いたのが、中国の現代化建設が長期的に必要であるということだった。その発言を受けて、葉剣英《イエジャンイン》元帥が建国30周年を祝う式典のスピーチのなかで「わが国の社会主義は幼年期」と位置づけた。そして、その2年後の1981年、中国共産党第11期6中全会で党中央は、「社会主義初級段階」という言葉を初めて正式に定義づけしたのである。

改革開放政策を定着させた鄧小平は、その後は公の場での発言を控えていたが、1989年に天安門事件が起き、それによって世界から制裁を受けていた当時の江沢民《ジャンツァミン》政権が改革開放の流れを停滞させたことに業を煮やし、発展の加速を促進させる「南巡講話」を発したことはよく知られている。

この講話のなかで鄧は、「われわれは社会主義をやり始めてから数十年しかたっておらず、まだ初級段階にある」(「武昌、深圳、珠海、上海などでの談話の要点」1992年1月18日~2月21日)と述べている。

鄧が社会主義を「初級段階」と位置づけた意図はどこにあるのか。いうまでもなく政策の大転換のための理論武装であり、社会の価値観を変えることだ。鄧小平が初めて社会主義を初級段階と語って間もなく、1982年の中国共産党第12期全国代表大会の開幕のあいさつのなかで、「中国の特色ある社会主義」という言葉が生まれる。

この中国の特色ある社会主義は、のちの習近平思想(「習近平による新時代の中国の特色ある社会主義思想」)にもつながるものだ。そして、社会主義と何が違っているのかについて、習近平自身が以下のように述べている(第18期中央政治局第1回グループ学習会における談話『中国の特色ある社会主義の堅持と発展をしっかりと中心に据えて第十八回党大会の精神を学習・宣伝・貫徹しよう』2012年11月17日=以下、学習会)。

党と国家の長期にわたる実践が十分に立証しているように、社会主義こそが中国を救うことができ、中国の特色ある社会主義こそが、中国を発展させることができる。

つまり、外国に侵略されて半植民地状態だった中国を救うことができたのは社会主義だけだったが、そこから中国を発展へと導くことができるのは「中国の特色ある社会主義」だけだと役割を分けていることがわかるだろう。

それでは具体的に鄧小平は、当時の中国をどこに向かわせようとしていたのか。それについては、南巡講話をきっかけに人々が先を争って「経商の海」（ビジネスの世界）へと飛び込んでいった現実こそが、何よりも雄弁に語っているといえる。

鄧小平は、中国を社会主義の初級段階と位置づけた直後に「小康《シャオカン》」という言葉を用いて、「20世紀末までに中国に小康社会（比較的豊かである状態）を打ち立てる」という目標を掲げた。この流れを要約すれば、「わが国は、社会主義国家としてまだよちよち歩き段階なのだから、とにかくしばらくは発展に力を入れよう」ということになる。

そして、これこそが江沢民時代の1997年に打ち出された、中国共産党中央の金看板である「ふたつの100年奮闘目標」のルーツだ。

「ふたつの100年奮闘目標」とは、中国共産党創立100周年を迎える2021年までに小康社会の全面達成を成し遂げるという「第1の100年」と、新中国（中華人民共和国）

成立100周年を迎える2049年までに富強・民主・文明・調和の社会主義現代化国家を築き上げ、中国人民と中華民族のより幸福で麗しい未来を勝ち取るという「第2の100年」という二段階から構成されている。

第一の目標である「小康社会の実現」は、日本では「ややゆとりのある生活」と説明されるが、それだけで内容を理解できる日本人は少ないだろう。国内から貧困者をなくすという「脱貧困」の目標は言わずもがなだが、2012年にはまず「小康社会の実現」を具体化する「ふたつの倍増」（中国共産党第18期全国代表大会における「中国の特色ある社会主義の道に沿って揺らぐことなく前進し、小康社会の全面的達成のために奮闘する」）が打ち出された。

すなわち、**①2020年までにGDP及び②都市部と農村部の住民ひとり当たりの平均収入を2010年比で倍増させるという目標**だ。

続く同年10月の5中全会では、「脱貧困」の基準をより明確化するため「ふたつの懸念の解消、3つの保障」（中国共産党第18期5中全会第2回会議での談話「小康社会の全面的達成の決勝段階の情勢を深く認識しよう」で言及）というスローガンも打ち出された。

「ふたつの懸念の解消」とは、食と衣に困る人がいなくなることを指し、「3つの保障」とは国民全員が義務教育と基本医療、住居の安全が確保できている状態を指す。その意味では国連などで定めている「1日の収入が1ドル以下は極貧層」といった基準とは異なり、中国式〝脱貧困〟だと理解されている。

こうして見ていくと、鄧小平が定めた「ふたつの100年」は、いずれも指導部が「国民をどれだけ豊かにできるか」を問う目標であることがわかる。

つまり改革開放へと舵《かじ》を切った後の中国共産党指導部には、経済発展を最重要視する価値観を定着させようとした流れが存在していることになる。そのことは、第12期全国人民代表大会第1回会議で習近平が語った以下の言葉にも如実に表れている。

発展こそが絶対の原理であるという戦略的思考を、われわれは堅持しなければならない。

習近平がこう語った後、続けて「あくまでも経済建設を中心として堅持し、社会主義経済建設、政治建設、文化建設、社会建設、エコ文明建設を全面的に推進し、改革開放を深め、科学的発展を促し、中国の夢の実現を支える物質的・文化的基盤を絶えず固めてゆく必要がある」と述べたのは象徴的だ。

社会主義建設よりも政治建設よりも、あくまでも中心は経済建設なのだと強調しているのは、党内には少なからず「経済優先」の風潮を快く思わない勢力が存在し、抵抗していたことをうかがわせるのだ。

「富強」、そして「民主」「文明」「協調」と続く〝価値観〟

経済発展は、多くの場合「消費の喜び」によって実感される。それは共産党の伝統が忌避する華美で豪奢《ごうしゃ》な生活や、生活腐敗と呼ばれるモラルの乱れとも親和性が高く、格差問題は深刻化し、官僚の汚職などの腐敗が広がる危険性にも結びつく。

つまり、資本主義社会ではごく当たり前の「発展」至上の考え方は、実は社会主義の中国では勇気のいる選択だったのだ。

では、中国共産党中央は、なぜここまで「発展」にこだわるのか。

習近平は先に引用した「学習会」での談話のなかで、よりはっきりと「わが党が人民を導いて革命、建設、改革を行う理由は、中国人民が豊かになること」だと述べている。そして、「経済が発展しないことには、他のことは語れない」からだとも語っている（中国共産党第18期５中全会第２回会議における談話「小康社会の期限通りの全面的達成を制約する重要問題と難題の解決に本腰を入れよう」）。

こうした党の姿勢は一貫している。**２０１７年10月18日に習近平が定めた「社会主義核心価値観」（中国共産党第19期全国代表大会を受けて発せられた政治スローガン）の24文字の漢字もやはり最初に「富強」が来て、次に「民主」「文明」「協調」と続いている**のだ。

繰り返しになるが、党中央が核心とする人物の言葉で、「党が人民を導く理由」を「人民を豊かにすること」と語っているのだから、それ以上に重要なことはない。このことは逆に、もし中国共産党が人民を豊かにできなくなったとき、それまでたとえどんな大きな貢献があったとしても、人民は執政者として共産党を認めなくなる可能性があることを意味しているのだ。

選挙を経たわけでも、国民とのあいだに契約が設立しているわけでもないが、それが中国における国民から権力への負託なのである。

だからこそ党中央は、常に14億人の胃袋を満たし毎年の新規雇用の受け皿を作り、来るべき高齢化社会へ備えることに四苦八苦し続けているのだ。第１章で触れた「胡錦濤の眠れない話」はその典型だろう。ポンペオやバイデンが言うような、自由主義ＶＳ専制主義

（全体主義）などというような、のんきな争いにかかわっている余裕などないのだ。

発展こそ正義――。

こうした「中国の特色ある社会主義」の下で、国民が中国共産党に統治を負託したことは、良し悪しは別にして、現実にも非常に有効であったことが実証されている。それが前述した１９８９年の天安門事件後の中国の復活である。

天安門事件で、民主化を求める学生や市民に向け軍を投入し、力で排除したという非道な政権に対して西側社会は、当然のことながら厳しい経済制裁を発動した。

国民に銃を向けた前近代的価値観の政権など、西側先進国の国民の目から見れば、その同じ年に始まった社会主義政権の崩壊ドミノのなかで消えたルーマニアのチャウシェスクや東ドイツのホーネッカー、ポーランドのヤルゼルスキーのように国民からそっぽを向かれ罰を下されるべき政権と映っていたはずだ。

だが、実際はどうだっただろうか。共産党政権は生き長らえるどころか、社会主義の非効率と民主化なき発展はないという西側の定説を打ち破り、いまでは伸び悩む先進国経済を横目に旺盛な成長を続け、国民に富をもたらし続けている。

この中国共産党は国民を豊かにしたという事実を前に、間接的ながらも天安門事件で「民主化」を否定され、落ち込んだはずの人々は、武力での排除という行為を憎みながらも、共産党統治をなんとなく認めざるを得なかったのである。

つまり、**一部の政治のプロが政権を担い、発展を望む国民の声に着実に応えていく政治スタイルは「案外悪くなかった」と人々が受け入れた**のだ。

北京オリンピックの直前、西側的民主化の必要性を認めたかのような発言をした温家宝のことを先に記したが、その時代までは輝いていた「民主主義」のご本尊であるアメリカは、逆にオウンゴールを決め続けたことで相対的に価値を低下させた。

西側先進国の制度下では、何をやるにしても国民の合意が必要で、それは意思決定プロセスからスピード感を奪う。

しかも、民主選挙の制度を持ち国民の声が通りやすいはずの国々で、いびつな格差を解消することさえ困難な状況も露呈された。２０２１年5月17日、日本経済新聞に掲載された記事〈富の偏在、回復に危うさ　K字経済の試練〉では、英オックスフォード・エコノミクスのデータを引用し、「20年3月〜21年1月で、米国内の所得上位20％は貯蓄を約２兆ドル増やす一方、下位20％の貯蓄は１８００億ドル超減少した」事実が紹介された。同様の指摘は世の中にあふれている。

また中国に対し「国民が1票を投じる権利を行使できる」優越性を声高に叫んできたアメリカは、2020年の大統領選挙で、かえってその選挙というシステムの限界を露呈することとなった。トランプ大統領を軸とした支持派とアンチの分断によってである。

トランプ支持者たちは、選挙結果の受け入れも拒否した。もちろんトランプ支持者と一口に言っても、ラストベルトの白人労働者からQアノン（陰謀論の信奉者）、熱心なキリスト教徒まで幅広く、実態はつかみにくい。ただ、ひとつ共通しているのが「やっと自分たちの声に耳を傾けてくれる大統領が現れた」という期待をトランプに向けていたことだ。

この背後にあるのは「一部のエリートが政治を壟断《ろうだん》し、特権階級が国を私物化している」という被害者意識だ。日本では陰謀論として一蹴されてしまうことも多いが、ワシントンが彼らに冷淡であったことは否定できないだろう。その意味では「国民は選挙のときだけ自由で、選挙が終われば奴隷」というルソーの言葉のなかでの、〝奴隷〟の要素がどんどん拡大した結果ともいえるだろう。

実際、日本にも目を向ければ政治への参入障壁は高く、気がつけば「政治は世襲制なのか」と疑いたくなるような現実も横たわっている。これが民主選挙の成果だというのなら中国は首を傾げるだろう。

その中国は「普通選挙がない」「言論の自由がない」「法治がない」と西側先進国から非難されながらも経済の長期目標を次々とクリアし、彼らの定めた基準のなかで国民の負託に応え続けている。また、特権階級と批判された党幹部の汚職の蔓延問題に対しても、習近平肝いりの反腐敗キャンペーンによって、１日９００人ペースで摘発を断行した。

そして、**腐敗官僚による不正な蓄財を吸い上げ、続く「脱貧困」の取り組みで大きな成果を残した**と指導部は胸を張る。脱貧困により、実際にどれほどの成果が上がったのか、部外者がそれを確認する術はない。**地方政府による成果の〝水増し〟が、そこに交じっていないとも限らないなど疑問も残る**。

だが、少なくとも全体的に政治の流れが貧困撲滅へと向かっていることは間違いなく、各政治家のインセンティブもそこに向いているとなれば、大きな流れができていることは間違いないのだろう。国民の満足度も決して低くはないようだ。

中国政府が恐れる「混乱」と「近代の記憶」

政治判断にも高度な技術と専門性がともなうと考えれば、「少数エリートの指導」が一定の効率を持つことは自然なことだ。権力の暴走を止めるブレーキの存在が「党の良心だけ」という危うさは否めないとしても、悪くない制度だと思う人も当然出てくる。

ただし、それは中国で暮らす人々が、現状を「理想的な最終形」と受け止めているという話では決してない。中国人自身、いまの社会をまだ発展途上と位置づけている。習近平も「経済が発展しないことには、他のことは語れない」と語っている。要するに**他のことは発展した後に考えるということ**だ。

発展した後に中国がどこに向かうのかは定かではないが、西側的民主を否定することが目的とは考えにくい。

たとえば、中国は実は憲法においては言論の自由を保障している。もちろん、西側社会並みにはまったく機能していない。だが、それは西側レベルの言論の自由が不要だと考え、そうしているわけではないのだ。

いまは、とにかく発展がマスト。そのためには安定が不可欠であるが、言論の自由はその安定をときに乱しかねない。だから、現時点では自由に意見を表明できる状態を警戒しているのだ。党のそうした判断を、国民はやはり肯定せずとも消極的に受け入れている。

さらに国民と共産党は、ふたつの重要な感情を共有している。

それが「混乱」への警戒心だ。

反習近平であろうが、反中国共産党であろうが、一度そうした旗印の下で、深刻な政争が起きてしまえば、その代償は必ず国民に及ぶ。それこそ混乱のオーナスだ。

実質的な独裁状態にある中国で、共産党という権力を排除しようとすれば、たとえそれが成功したとしても長期にわたる混乱は必至だ。そうなれば、国民が再び経済発展の恩恵に浴することができるようになるのは、いったいいつになるのだろう。

そして、もうひとつ国民と政府が共有しているのが「近代の記憶」だ。列強や日本に侵略された歴史の傷は、いまでも癒えきってはいない。このテーマについては、習近平自身の言葉を引用するのが最もわかりやすいだろう。

2012年11月29日、北京の国家博物館で開かれた「復興の道」展を見学した際に行ったスピーチ、「中華民族の偉大な復興の実現は近代以降中華民族の最も偉大な夢である」のなかで発した言葉が以下の一言である。

全党の同志が過去を振り返って必ず銘記しなければならないのは、立ち遅れれば叩かれる、発展してこそ自らを強くすることができるということだ。

やはり中国共産党と中国国民のＤＮＡには、リアリスト的発想が眠っている。日本人から見れば少々アナクロで、大国としての意識にも欠けているように感じるかもしれないが、それは戦後のアメリカと敵対したことのない国の視点であろう。

トランプ政権の対中攻勢という可視的な圧力は別にしても、**中国が「和平演変《フーピンイェンビェン》」と呼ぶ、平和的手段による政権転覆のプレッシャーは常に中国共産党の足元を揺さぶってきた。**事実、１９８９年の天安門事件から２０１９年の香港のデモまで、共産党支配が揺らぐとき、必ず焦点となってきたのは「民主」というキーワードだった。

これも広義には自由主義ＶＳ専制主義の戦いといえるだろう。

次章では、中国がこうしたアメリカの仕掛けをいかに警戒し対処してきたのか。そして、必然的にこの戦いに巻き込まれる日本について詳しく見ていくことにしよう。

第4章

絶対に報じられない ウイグルと香港の「不都合な真実」

ライバルのインドも抜け出した「反中クラブ」

第1章でも触れたように、バイデン新大統領が誕生して1カ月半が過ぎたころ、アメリカの対外政策の方向が少し明らかになり始めた。

日本国内では〝親中派〟に分類されるバイデンのこと、中国に甘い姿勢に転じるのではないかと予測されたが、ふたを開けてみればそんなことはなかった。少なくとも3月12日の日米豪印4カ国（クワッド）首脳による初のオンライン会談から同16日の日米安全保障協議委員会（日米「2＋2」）、18日の米韓外交・国防閣僚会合（米韓「2＋2」）と、それに続くアラスカ州アンカレッジの米中外交トップ会談では、対中包囲網の形成へ意欲を見せるアメリカと、それに反発する中国の対立が際立った。

トランプの対中強硬姿勢はバイデン政権にも引き継がれ、中国が追い詰められていく流れも相変わらずであると見られた。

しかし、その内実はどうだろうか。こうした断片情報から得られる印象とは少し違っている。クワッドのオンライン会議では『産経新聞』が〈インド、「反中国クラブ化」に慎

重　クアッド首脳会合で温度差〉と報じたように、あれほど激しく中国と対立していたインドですら慎重になり、米韓「2＋2」では韓国の腰も引けてしまった。『朝日新聞』は〈米韓2プラス2、声明は中国批判避ける　韓国の意向反映〉というタイトルでこれを報じたが、そもそも韓国には以前から「巻き込まれ」を忌避する傾向が顕著だった。

こうなると自ら進んでアメリカの思惑に乗っかったのは日本だけなのか、と疑いたくなるだろう。だが、実際には日本もかなり慎重だった。

なかでも香港やウイグル族への人権侵害などの問題に絡んで、日本政府の動きは鈍く、そのことに対する不満の声は与党の内部からも上がっていた。日本の煮えきらなさを指摘する記事は2021年4月の菅義偉首相の訪米前には数多く出されたが、そのひとつ、時事通信が配信した記事〈菅首相訪米、焦点に「人権」浮上　慎重姿勢に内外から圧力〉には、日本が慎重にならざるを得ない理由が、以下のように記されている。

日本政府が制裁に二の足を踏むのは、「一衣帯水の隣国」で最大級の貿易相手国である中国との対立激化は避けたいからだ。首相周辺は「口で非難できても、行動は起こせない」と吐露する。

同じ時期に配信された『ブルームバーグ』の記事〈ウイグル巡る中国制裁、踏み絵迫られる日本─菅首相は4月に訪米〉のなかでは「日本にとって中国は、輸出入総額の2割を占める最大の貿易相手国。2007年にアメリカを上回って以降、10年以上連続して首位となっており、新型コロナウイルス禍で経済が低迷する中で摩擦は避けたいのが実情だ」とも説明された。

また日本には、人権問題で他国に制裁を発動できるアメリカの「マグニツキー法」に類する法律がなかったことで政権が救われたという指摘もあり、同記事のなかでインタビューに答えていた宮家邦彦氏（外交担当の内閣官房参与）は「日本にとって中国は重要な隣国であり、両国は地理的に離れることはできない」としたうえで、制裁を可能にする法整備をしても、実際に発動するかどうかは「まったく別物だ」と答えたという。極めて真っ当な見解だ。

中国と国境で干戈《かんか》を交えたばかりのインドでさえ、「反中国クラブ」からはギリギリで逃れ、続く韓国も米中のケンカに巻き込まれる愚を回避しようと徹底して、あいまいな態度を貫いた。そして日本も、少なくともこの時点までは口では厳しいことを言いながらも、慎重に行動することで対立の激化を回避しようとしていたことがうかがえる。

危うい雰囲気が広がるアジアにあって、外交のハンドルを握る者たちは、かろうじてまだ〝大人〟だったことが見て取れるのがわずかな救いだ。

日本がウイグル族のために立ち上がる意味

長年中国を研究してきた身にしてみれば、そもそもウイグル族の人権侵害が、日本人にとってそれほど重大な関心事だったことに気がつかなかったのは、不覚の極みである。

それにしても、日本人はウイグル族といったいどこで、どんな深い接点があったのだろうか。少数民族問題は、アジアだけでも無数に存在している。悲惨を通り越したミャンマーのロヒンギャは言うに及ばず、タイやフィリピンなど、日本人にもなじみ深い国々を含めあらゆるアジアの国に存在し、それぞれ問題を抱えている。それなのに、なぜウイグル族の問題にだけこれほど強い関心を示し、なおかつ肩入れするのだろうか。

緊急を要するからという理由であれば、ヨーロッパが大きな声を上げていた、2008年の北京オリンピック前後のほうが、はるかに問題は深刻であったはずだ。

もちろん、目についた問題一つひとつに対し、きちんと対処していくという考え方を否定するものではない。だが、人が限られた資源のなかで生きているように、国もまたさまざまなバランスのなかで関係を保っていかなければならないのだ。

ウイグルの問題で日本が中国の内政に口を出せば、中国から何らかの強いリアクトがあることを覚悟しなければならない。前述したように中国は、日本にとって最大の貿易相手国である。その中国と日本が深刻な対立に陥れば、日本経済へのダメージは計り知れない。コロナ禍で傷んだ経済に、さらに追い打ちをかけることが不可避な選択をすれば、政治は必ずその責任を追及されよう。

そして、のちに日本国内に失業者があふれ、国民一人ひとりの収入が、いま以上に大きく目減りするという影響が明らかになったとき、「それでもウイグル族のために戦ってよかった」と、日本人が本当に思えるのであれば、それでもよいのだが……。

当たり前のことだが、わが国の政治は日本国民の生存をより確かなものとし、各々が自己実現するために、その力が注がれなければならない。それをウイグル族や香港の人々のために使えるほど、日本は大国ではないのだ。ましてや「中国憎し」の感情を慰撫《いぶ》するためであれば、何をかいわんやである。

さらに、いま日本の行動に慎重さが不可欠なのは、後代に損をさせる程度では済まない課題を、次の世代に引き継ぐ可能性も出てきているからだ。

人権問題を入り口としているとはいえ、ウイグル・香港問題に口を出すということは、他国の内政への介入ととられかねない行為である。

いま「アメリカが本気になっている」と、尻馬に乗れとばかりに勇ましいことを口にする人が増えているが、これだけ大きくなった中国が、海外からの〝口先圧力〟により、ある日突然崩壊してしまうと考えるのは、あまりにムシのいい発想だ。

米欧には14億の中国国民を無力化する力もなければ、われわれの安全保障上の懸念を払拭してくれるという動機もないだろう。現実的に考えれば日本が中国包囲網に加わったとしても、中国の肥大化を一瞬遅らせるか、発展の加速度を多少緩める程度の効果しか生まないはずだ。ならば日本は、今後も半永久的に肥大化する隣国と向き合っていくことを考えなければならないし、その際の安全を確保し続けなければならないのである。

そう考えたとき、人権が理由ならば「内政干渉できる」という実績を残してしまうことは日本にとって理想的な選択なのだろうか。中国がアメリカと並ぶ力を得たとき、たとえば、**沖縄で社会に不満を持つ勢力――そういう人々はいまの沖縄に限らず、どんな時代の**

どんな場所にもいる――に働きかけて人権問題や基地問題で声を上げさせる。そして、その声に応じて日本の内政に手を突っ込む。こうしたやり方は本来、欧米の得意技なのだが、中国が使う可能性も十分にある。

そもそも中国国民のなかには、日本への積年の恨みを晴らすべきだという勢力があり、日本の出方次第によっては、そうした声が多数派を形成しても不思議ではない。そんな危険な因子が潜んでいるのが、日中関係の特殊性なのだ。わざわざ寝ている子を起こすメリットは、はたしてどこにあるのだろうか。

日本、中国、ロシアも射程に入るミサイル開発に道を開いた韓国

歴史の要因という意味では、日本の東アジアにおける地位は極めて不安定であり、それは中国に起因するものだけではないので、朝鮮半島情勢にも簡単に触れておこう。

2021年5月、米韓首脳会談後の共同声明に「台湾海峡」が書き込まれたことで、日本のメディアは例によって韓国が〝レッドチーム〟に入ったか否かに注目して、騒いだ。

しかし、その陰で**中国のメディアが競って取り上げたのは、米韓ミサイル指針（以下、指針）**

の撤廃の合意だった。

指針はアメリカが韓国のミサイル開発に対し、射程や弾頭重量の制限を取り決めたもので、要するに文在寅《ムンジェイン》政権はフリーハンドのミサイル開発の権利をアメリカから手にしたことになる。事実、中国の安全保障専門家は「中国や日本、ロシアも射程に入れたミサイルを持つことに道を開いた」と警戒心を示した。韓国はすでに射程８００キロメートル以上、積載重量５トンの能力を身につけているとの指摘もあった。

つまり、文大統領は「中国にすり寄る」わけでもレッドチームに入るでもなく、主権回復を大きな目的としてきたことがわかる。**日本では著しく評価の低い文在寅大統領だが、中国はむしろ抜け目のない人物と評価してきた。〝親中〟だから評価が高いのではなく、むしろ警戒の対象として、という意味だ**。中国は以前から、文政権の下で進められてきた軍拡――国防費を対前年比７％のペースで毎年拡大――や購入する外国製兵器、自力防衛の意図にも強い関心を寄せてきていた。

この視点は北朝鮮も同じで、これまで２０１８年、19年と二度にわたり行われた米朝首脳会談までは南北融和ムードを保ってきたのに、にわかに韓国に冷淡になった理由も、実は文大統領の野心を警戒したからではないか、との見方が中国にはある。

従来、日本にとって朝鮮半島における脅威の最大値は、南北朝鮮がひとつになった後に、その統一の痛み――経済へのダメージなど――を反日エネルギーに転換して日本に振り向けることであった。その際に頻繁に用いられた言い方が「北朝鮮の核と韓国の通常兵力と経済力の融合」である。それと向き合う日本は、人口減で経済の先行きも不透明で、韓国一国に対してさえ従来の優位を保てるのか否か、わからなくなっている。

韓国は少なくとも現状では米中の狭間をあいまいに動いて、中国からも利益を確保しつつ国力を充実させる外交を展開し続けている。日本では、かねてからそんな韓国を「アメリカに相手にされていない」と揶揄したり、「韓国経済は崩壊寸前」と軽視したりする言論で評してきた。

だが、そうして笑っているあいだに何が起きたのか。OECDが発表した2019年データによると、いつのまにかドルベースの年収で韓国に追い抜かれてしまったのだ。今般の対米外交でも、アメリカや中国を決定的に怒らせることなく、きちんと両方からの利益を確保し、さらに先述のように「自主防衛」への道を切り開いているのに、である。

一方の日本は、香港やウイグル族の問題だけでなく台湾海峡にまで口を出したことで、いよいよアメリカ一辺倒の選択が現実味を帯びつつある。しかも、岸信夫防衛相は

２０２１年5月19日の『日経新聞』インタビューで、頼まれてもいないのに台湾問題について「われわれの問題として……」と語り、中国からの反発を招いた。「中国に強気でモノが言える」というアピールなのか、「信念を貫く姿」を見せたいのか。

いずれにしても、万が一、日中間で緊張が高まっても、その火を消すことができるのはアメリカだけというなかでの〝パフォーマンス〟に、いったいどんな意味があるのか、極めて理解しづらい。

また、「台湾問題は、すなわち日本の安全保障問題だ」と主張するのであれば、台湾有事の際に日本が何らかのアクションを起こすことを、中国は想定するだろう。このとき中国が、本気で日本をターゲットにしようと考えれば、日本が過去の野心をよみがえらせて再び台湾に手を伸ばしてきた、という理屈で正当性を確保しようとする可能性が最も高い。

つまり日本は、敗戦しポツダム宣言を受諾したにもかかわらず、かつての大日本帝国と同じような侵略の意図を隠していたというロジックだ。もちろん国際社会が、そんな中国の発信をそのまま鵜呑みにするとは考えにくい。しかし、**少なくともこの理屈は、中国が日本に対し実力行使することを、国際社会が「傍観する理由」にはなり得るから恐ろしい**のだ。

いうまでもないことだが、戦後の国際秩序は日本を含む枢軸国を否定することからスタートしていて、本来は日本に厳しいものだった。東西冷戦の勃発や日本の平和への取り組み――それ自体を自虐的だと否定する勢力も国内にはいるが――によって、そうした空気は緩んでいるが、根底にはまだ残滓《ざんし》はある。

たとえば、国際連合の「敵国条項」だ。国連に加盟する国々にとって基本的に戦争は違法とされるが、その例外は国連の「敵」への攻撃だ。そしてこれは主に日本に向けられている。国際連合は日本だけで通用する用語であり、本来の英語はユナイテッド・ネイションズ（United Nations）、つまり日本が戦った「連合国」そのままの名前だ。

敵国条項を日本が抱えているという問題は、ごく簡単に言えば中国が日本以外の国を国連の同意なく攻めれば違法行為となるが、対日本ではそうはならないということだ。

なぜか「チェンジ・マネー」を独占できたウイグルの若者たち

さて、そうしたことを前提に少し細かくウイグルや香港の問題について見ていきたい。

ただし、最初に断っておかなければならないのは「新疆ウイグル自治区内で『強制労働』、または『ジェノサイド』と呼べるような実態があるのか否か。それを精査して読者に提供する能力が私にはない」ということだ。

いきなり不誠実なことを書かなければならないのは心苦しい限りだが、事実である。ただ一方、私以外の人間に、この真相を書く能力があるのか、と問われれば、これも間違いなく「ない」と答えざるを得ないだろう。

主に西側先進国のメディアの報道を検証しないまま垂れ流している日本のメディアはもとより、ウイグル族の「強制労働」問題を最前列で取り上げたＢＢＣや、そのＢＢＣが情報源としているオーストラリアのシンクタンク「オーストラリア戦略政策研究所」（ＡＳＰＩ）ですら、何ひとつ明確な証拠を示せてはいないのだ。

ウイグル族の人々が、漢族に比べて割を食っているか否か、または西側先進国のいう「人権」が守られながら暮らしているのかと問われれば、そうではない可能性が高い。だがそれは、「ジェノサイド」だとか「強制労働」といった烙印を押して、まるで犯罪者のように中国を裁くべき問題なのか否かと問われれば、現時点ではやはりそれを立証する証拠はないし、慎重にならざるを得ないというのが答えになるだろう。

そもそも、ウイグルの問題で中国批判が過熱する入り口では、素人目にも真偽の疑わしい情報も流れていた。たとえば、「100万人の強制収容所施設」である。香港の「200万人デモ」と同じで、とてもではないが現実的とは言えない。野球やコンサートが開かれた球場を想起すればわかるように、会場いっぱいの観客全員に食事を提供し、監視することを考えたら、いったいどれだけの人員や資金を割かなければならないのか。

それでも、球場の収容人数はマックスせいぜい4万~5万人ほどでしかない。100万人ともなれば、その25個から30個分ということだ。のべ人数だったとしても気が遠くなる。

また「中国がイスラム教徒をターゲットにしている」という批判にも疑問は残る。

中国共産党の指導下にある中国が、宗教に不寛容なのは間違いない。また、宗教が弱者の拠り所となり、彼ら、彼女らが「世直し」を求める方向へと傾く可能性がある点からも、宗教との向き合い方は課題となる。さらに中国共産党が「マルクス主義に対する信仰、共産主義と社会主義に対する信念」という言葉を使うように、**共産党という〝一神教的排他性〟を帯びた組織が、〝その他の宗教〟をそもそも警戒、排除しがちだということも看過できない**。

ただ、だからといって中国が国内の少数民族に対し、その生活様式も含めた大規模な「再教育」という名の改造を行っていたのか、と問われれば、やはり「証拠を確かめない限り」

何も言えないのだ。

実際、私は80年代の中国で4年間過ごしたが、その際、ウイグル族の若者との接点も少なからずあった。その理由は、彼らが外国人専用の貨幣である外貨兌換券と人民元の違法な売買に携わっていたからだ。

そのころ、外国人と見るや「チェンジ・マネー」と言って近寄ってくるのは、たいていウイグル族の若者だった。地元のゴロツキを出し抜いて、なぜ西の果てのウイグル族が「チェンジ・マネー」業を独占できているのかが不思議で、その理由を彼らに問うたことがあった。すると、彼らは**「少数民族には優遇政策があって、あんまり捕まらないからだ」**と悪びれずに答えていたものだ。

当時の中国は、とにかく反社会勢力に厳しかった。もし共産党が本気で彼らを駆逐したいと考えていたのだとすれば、格好の口実となったはずだ。日本のメディアでは、「中央政府が宗教をターゲットに少数民族の締めつけを行っている」といった表現がたびたび使われるが、それが本当ならば国内最大勢力のチワン族をはじめ満州族、回族と中央政府とのあいだにも、ウイグル族と同レベルの深刻な対立があるはずではないだろうか。

新疆ウイグル自治区は中国の6分1の面積を占め、人口は約2600万人である。もともと17世紀から18世紀にかけ同地を支配していたのは、モンゴル系騎馬民族帝国のジュンガルであった。やがて17世紀末、清の第4代皇帝である康熙帝《こうきてい》が、ジュンガル征討を行い、やがて1750年代、第6代皇帝の乾隆帝《けんりゅうてい》がジュンガルを滅ぼす。

その支配下に置かれていたトルコ系ムスリムのウイグル族は、独自にイスラム国の樹立に動いたが、同じく乾隆帝が平定。ウイグル族が居住する東トルキスタン一帯を「新疆」と名付け、統治するようになった。ここに中国の新疆支配が始まるとされる。

ただし、中国の西域《さいいき》支配の歴史はさらに古く、紀元前60年、前漢の時代に西域都護府を置き、初代護都として鄭吉《ていきつ》が派遣されたことが最初とされる。

一方、ウイグル族が自分たちの手でイスラム国家を打ち立てようとする動きは、歴史の節目節目で発生し、近いところでは1991年、ソ連崩壊後に中央アジア5カ国のトルコ系民族が独立を果たしたことに刺激を受け、再燃したとされている。

ウイグル問題の難しさは、この独立を求めるウイグル族の人々と、中国人として民主化を要求する人々、さらに自治区政府やその周辺で働く人々とが混同されている点にある。これは、日本でウイグルに同情する言説のなかに、しばしば見られる混同である。

しかし、独立を勝ち取ろうとする国内勢力があれば、どの国であっても徹底して取り締まるのは国家権力のＤＮＡだ。そして、それに対抗する勢力は、地下に潜り、あるいは国外に脱出して、激しい対立、闘争を続ける。

中国政府が「一部の過激派」と批判しているのは、まさにこうした勢力のことだ。そのため、新疆で行われている〝再教育〟の目的のひとつが、「テロの防止」とされていることにもつながる。だが、このあたりの境界線はやはりあいまいだ。**中国の治安当局が、テロ対策といいながら、明らかに「人権侵害」にまで踏み込んでいるとの疑いがぬぐえないのも、また事実**だからだ。

アメリカと国連がウイグル人団体をテロ組織に認定した理由

さて、ここで一度問題を整理しておこう。

ごく大雑把に言ってウイグル問題には、あくまで彼らへの人権侵害を問題にして声を上げるのか、それとも中国に対し「ジェノサイド」や「強制労働」といった罪を着せて追い詰めようとするのか。その選択次第で、対応の性質が大きく異なることを理解しなければならない。また中国に抵抗するウイグル族の人々の運動を、国内における彼らの自由度や自治の拡大としてとらえるのか、それとも独立の動きまでを含めて声を上げていこうとしているのか、これも整理しておかなければならない。

そのうえで、ウイグル問題のややこしさについてさらに深掘りすると、そこでぶつかるのがテロとの関係だ。われわれが中国の奥深くにあるウイグルの状況を知ろうとすれば、最も身近な情報源となるのは海外で暮らすウイグルの人々の言葉だろう。だが、そうした国外のウイグルの人々の多くは、何らかの理由で中国を追われた人であり、その場合、どうしてもテロ組織との関係を精査しなければならないという現実もあるのだ。

中国政府は2003年12月、次の4つをテロ組織に認定した。

①東トルキスタン・イスラム運動（ETIM）
②東トルキスタン解放組織（ETLO）
③世界ウイグル青年代表大会（2004年に世界ウイグル会議と合併＝WUC）
④東トルキスタン情報センター（ETIC）

彼らがテロ組織に認定された背景には、2001年の9・11同時多発テロ事件発生後、「テロとの戦い」を掲げた息子のジョージ・ブッシュ政権が、対イラク戦争に対して中国の賛同を得るために協力したことがよく知られている。

４つの組織のうちＥＴＩＭは、２００２年9月11日に国連からもテロ組織と認定され、制裁対象となった。さらに、ブッシュ政権下のアメリカも、２００４年にテロ組織認定リストに登録した。その後、**中国と深刻な対立関係に陥ったトランプ政権が、２０２０年11月に解除するまでテロ組織に指定されたまま**であった。さらに**イギリスは、いまだにテロ組織指定を解除していない**（Ｗｅｂ版『国際テロリズム要覧』２０２０）。

ちなみに日本の公安調査庁が刊行している『国際テロリズム要覧』の中国の欄には、ずっとＥＴＩＭと並びＥＴＬＯの名前も掲載されていた。そして組織を説明する「組織の概要」のなかでは、「オサマ・ビンラディンからの資金援助」「アフガニスタンの『アルカイダ』キャンプで訓練」といった記述も確認できる。

アメリカは「テロとの戦い」でこうしたテロ組織を警戒し、２０１０年前後には、中国に対しテロ問題により強く対処することを求めている。そして、テロ指定に続くアメリカからの要請などでお墨付きを得た中国当局が現地での取り締まりを加速させ、ウイグル自治区での衝突が激しさを増したとされているのだ。

「川のように血を流してやる」と脅す人々

すでに記したように、アルカイダとのつながりも指摘されるウイグル族の過激派だが、その一部はイスラム過激派組織「イスラム国」（ＩＳ）とも深い関係があるとされている。ウイグル族の若者がイスラム国に合流する途中で逮捕されたという報道や、シリアで日本人ジャーナリスト〈アジアプレス・映像ジャーナリスト・玉本英子〉の取材に応じた者もいる。２０１７年には、フランスの『ＡＦＰ』が〈ウイグル人のＩＳ戦闘員、中国に対して脅し「川のように血を流す」〉というタイトルの記事を配信している（２０１７年3月1日）。記事はタイトルのままで、「戦闘員らが自国に戻り『川のように血を流してやる』と脅す動画が公開された」という内容だ。

予告がただの脅しであったとしても、中国にしてみれば警戒を強めざるを得ない。というのも、実際に中国は暴動やテロに苦しんできたからだ。

目立ったものだけを並べても、２００９年7月の新疆ウイグル自治区区都ウルムチで起きた１９７人が死亡する騒乱――これはテロと並べてはいけないが――を皮切りに、

２０１３年10月には北京の天安門前で、ウイグル族の一家が運転する車両が観光客の列に突っ込んだ後に車が炎上するという事件も起きている。そして翌14年３月１日、中国南部の雲南省昆明《クンミン》駅で96人が死亡する無差別テロがあり、さらに５月22日には、またもやウルムチで１３０人以上が死傷する爆発事件が発生し、中国全土を震撼させた。

これらは日本でも大きく報じられた大事件であるが、実は氷山の一角だ。国内で起きた小規模なテロも含めれば、１９９０年から２０１６年までに、数千件を超えるテロ事件が発生したともいわれている。

もちろん**テロに走る一部の人々と、現地で静かに暮らすウイグル族の人々を混同してはいけない**。だが、中国当局が現地でテロ対策を理由に締めつけを強めることを、頭から否定することもできない。無論、「人権侵害」をしている中国人であれば、テロのターゲットになってもいいという理屈は通らない。そのことは、同様のテロがどこかの国で起きたとき、その国がどんな対応をとるかについて頭をめぐらせれば、自明の理だろう。

ウイグル問題という難渋なテーマに取り組もうとすれば、ジャーナリストや研究者はたいてい海外で彼らと接点をもつことになる。国外でメディアに対し積極的に発信しようとするウイグル族の人々の多くは、中国を追われた人々だ。当然、話す内容は中国国内にいた際に当局から受けたひどい人権侵害について、ということになる。

だが、聞き手であるジャーナリストや研究者の側には、彼らの言葉が真実か否かを厳密に精査する能力、手立てがないのが実情である。個人の能力が劣っているということではなく、中国が自由に取材させないなど、環境的に限界があるという意味だ。中国の〝非民主性〟の問題であり、その点は責められても仕方がないだろう。

だが一方で、それを「中国の不徳の致すところ」とばかりに、確認もできないままの情報で断罪しようとするのは、また別の意味でのモラルの欠如と言わざるを得ない。

祖国を追われ海外で暮らす人々には、明確な目的がある。その点は、国内の人権侵害を正当化しようとする中国政府の動機と同じように、警戒の対象としなければならない。当然、未確認の情報であれば、それなりの扱いをしなければならないのに、西側先進国のメディアを中心に、「ジェノサイド」「強制労働」といった話までが、まるですでに事実として確認されたかのように流されてしまっているのだ。

ついでに一言付け加えれば、まともなジャーナリストや研究者であれば、「あなたが大変な目にあってきたのはわかるが、それでもテロ、暴力に訴えている組織があることについて、あなたはどう思うのか?」といった質問も、すべきではないのだろうか。

世界には海外に逃れた人々を、自分たちの利益のために利用する国や勢力も少なからず存在している。外国で他に頼る者のない人々が、そうした国や組織のために発言する際の〝バイアス〟について、当然考慮すべきだろう。そうでないと、**ひとりの発言が引き金となり、ときに多くの人の犠牲を生むこともある**からだ。

イラクの旧フセイン時代、反体制組織に所属し、イラク戦争後は副首相などを務め、2015年に亡くなったアハマド・チャラビという人物。彼こそが、イラクに大量破壊兵器があるという情報の提供者だったのだ。騙されたのか、あるいは意図的に利用したのかは不明だが、このフェイク情報をきっかけにブッシュ政権はイラク戦争を決意した。だが戦後間もなく、チャラビは誤情報を流したとして、駐留米軍とイラク警察から取り調べを受けている。

父ブッシュ時代の湾岸戦争もそうだ。戦争を容認する世論形成に多大な影響を与えたのが、イラクの攻撃で垂れ流された原油にまみれて飛べなくなった海鳥の写真と、「イラクの兵士に赤ん坊を地面にたたきつけられて殺された」と泣きながら証言したイラク人女性の存在だった。

だが、海鳥が油まみれだったのはむしろ米軍の攻撃による影響であり、また証言を行ったイラク人女性は、なんと駐米クエート大使の娘が演じていたことが、いずれも戦後に判明し、世界は騙されたことを知ったのである。

湾岸戦争もイラク戦争も、「人道」や「反独裁」「人権侵害」などの大義名分が盛んに報道され、世界の大半の人たちが「それなら、倒されてもしょうがない」と思い込んだ。そして、独裁者が排除され状況が変わった後に初めて世界は、その根っこにあったはずの重大な問題が実は虚偽だったという、むなしい知らせを聞くのである。無論、何らかの方向へと導こうとする〝情報〟がきっかけで失われた無辜《むこ》の人々の命が、戻ってくることなどない。これもまた、ジェノサイドではないのだろうか。

ラビア・カーディル、エイドリアン・ゼンツ、ASPIの情報精度

ウイグル族に対する「ジェノサイド」や「強制労働」をめぐって中国を断罪するなら、前述の例を挙げるまでもなく確固たる証拠が必要であろう。**間違った情報で突き進み、取り返しのつかないことが起きてしまったら、「後の祭り」では済まない**からだ。

では、「裁かれても仕方がない」と腑に落ちるエビデンスはどこにあるのか。

たとえば日本でも、東京大学社会科学研究所の丸川知雄教授をはじめ（『ニューズウィーク日本版』〈新疆の綿花畑では本当に『強制労働』が行われているのか？〉２０２1年4月12日）、冷静に、かつ数量的、科学的にこの問題を分析する研究者や記者もいるが、やはり少数である。

こう書くと、お決まりの反論が返ってくる。「中国が隠しているのが問題だろ」と。だが、「中国が見せないこと」と、「それが事実か否かであること」は、実は関係ない。

しかも、最近の傾向から言えば、中国は外国の記者を自由に取材させるほどではないものの、以前とは違いかなり細かく説明、あるいは反論するようになっている。だが、日本を含めた西側メディアは、ほとんどその内容を無視しているのだ。

「どうせ中国は、一方的な主張をするだけ」と切り捨てているのだろうが、それこそあまりに〝一方的〟ではないだろうか。中国が、というよりどの国も、自国を擁護するのは当たり前のこと。聞くほうは、そういう前提で情報を受け止め、精査すればいいだけの話なのだ。

それなのに、中国から発信される膨大な量の情報を読者や視聴者に届けないのは、「われわれが報道しなければ、情報など何も手に入らないだろう」というマスコミの怠慢と傲慢の表れだろう。日々性能がアップする翻訳機能を使えば、ダイレクトに情報が手に入る時代に、いつまでそんなことが通用すると思っているのだろうか。

実際、BBCの記者と中国外交部報道官とのあいだで交わされたウイグルをめぐる〝攻防〟は、かなり白熱していて面白い。日本の記者クラブによる統制された記者会見とは違い、問題を告発し追及する側と、その中身を「虚偽だ」と否定する側の直接対決なのだから核心を突く応酬となる。面白くないはずがない。

では、そのポイントとは何なのか。それを紹介する前に、前提としていくつかの主要な団体や組織、個人について記しておかなければならない。

まずは**「ウイグル人の精神の母」と呼ばれるWUCのラビア・カーディル総裁**だ。WUCはP164で記したように、中国がテロ組織に指定した世界ウイグル青年代表大会と合併して誕生した団体である。そのため、中国の目にはWUCも「テロリストの隠れ蓑」と映るが、ラビア・カーディルは世界的にも知られた人権活動家である。2021年6月4日、ウイグル人に対する人権侵害を調べる「ウイグル法廷」がロンドンで開かれたが、これを呼び掛けたのもWUCである。

また、**ウイグル族に対する強制不妊手術や綿花畑での強制労働を指摘した、ドイツの学**

誰がウイグルで起きていることを本当に知っているのか？

右上はラビア・カーディルWUC総裁。1947年、新疆生まれ。事業に成功し共産党入党後、1999年、国家機密漏洩罪で逮捕。2005年に釈放後、アメリカに亡命した。左上はウイグル問題を追及するドイツ人学者エイドリアン・ゼンツ。熱心なキリスト教信者で「神に導かれ」ウイグル問題に取り組んでいるという。下はASPIの建物。2001年、豪政府により設立され、ロッキードマーティン、レイセオンなど世界的軍需産業がスポンサーとなっている。

者で共産主義犠牲者記念基金のエイドリアン・ゼンツ（Adrian Zenz）。さらには、**ウイグル族を収容する「再教育キャンプ」の存在を指摘した前述のＡＳＰＩ**がある。われわれが目にするウイグルの問題は、たいてい源をたどると上記の団体や個人にたどりつく。

さて、中国外交部スポークスマンとＢＢＣ記者との激しい応酬は、ウイグル問題にスポットが当たって以降、何度も見られた。たとえば、２０２１年４月１日の定例会見を見てみよう。

この日、質問に立ったＢＢＣ記者は、自分たちの報道に対し中国のメディアが激しく批判を加えているとしたうえで、批判をするならＢＢＣにも取材して「反論の機会を与えるべきではないか？」と迫った。メディアからすれば、ごく自然な要求だろう。

だが、これに対する華春瑩報道官の回答はそっけないものだった。まず記者に対し、「（書かれる側の言い分を聞くことを）ＢＢＣはしているのか？」と逆質問したうえで、以下のように問いかけた。

「ＢＢＣが中国を責める根拠は、鄭国恩《ジャングオエン》（ゼンツ）のデータが基ですよね？　それと、鄭に連なるいわゆる〝役者〟たちの偽証ですね。しかし、新疆ウイグル自治区政府が説明のために開いた30回以上の会見やその中身、われわれが刊行し続けている白書について、あなた方はどれだけ番組に反映していますか？」

つまり、ＢＢＣはゼンツのデータに頼りきりであり、中国側の反論を無視している。そのうえでゼンツのレポートそのものも〝フェイク〟だと全否定したのだ。

しかも中国の反論は概して細かい。一例を挙げれば、ＢＢＣが２０２０年7月17日に報じた記事に登場するZumrat Dawutという女性についてだ。外交部の汪文斌報道官は次のように述べた。

「Zumrat Dawutは以前『再教育キャンプ』に監禁されたと言っていたが、実際には職業訓練センターで訓練を受けたことはない。彼女は子宮摘出による不妊手術を強制されたと言っていたが、実際には２０１３年3月にウルムチ市内の産婦人科病院で第3子を出産した際、分娩同意書に署名して帝王切開と卵管結紮《けっさつ》に同意しており、その後、病院で帝王切開と卵管結紮手術を行った。不妊手術をさせられたのではまったくないし、ましてや子宮を摘出されたのではない。彼女はまた、高齢の父親が新疆当局に数回拘束され、取り調べられ、少し前に死因不明のまま死んだと主張している。だが実際には、彼女の父親はずっと子どもたちと普通に生活し、取り調べられたり拘束されたりしたことはなく、２０１９年10月12日に心臓病で死亡した。こうした状況は彼女の3番目と5番目の兄がきちんと説明している」

これが、華春瑩が前述のように「BBCは番組に反映したのか？」と批判した30回以上に上る新疆ウイグル自治区政府の会見となると、さらに微細にわたり説明している。

たとえば、2021年4月12日の会見を見てみよう。

いま世界には、ウイグル族迫害についての目撃証言を集めた3つのデータベースがあるという。そのデータベースの具体的な内容を、新疆ウイグル自治区の担当者は次のように述べている。

「そこに登録されている全12050人に関し、確認されたのが10708人で、残りの1342人は捏造である」

また確認された人々のうち、10708人の内訳を、こう説明している。

「6962人は普通に生活しており、3244人はテロなど国家の安全にかかわる罪やその他の刑事犯罪に関与して有罪となり、238人は病気などのため死亡。264人が国外にいる」

会見しているウイグル自治区の官僚たちは、いうまでもないが大半はウイグル族である。もし彼らの主張がウソであれば、被害にあった人々は、再反論するだろう。こうした中国

ASPIの主張に対する中国の反論

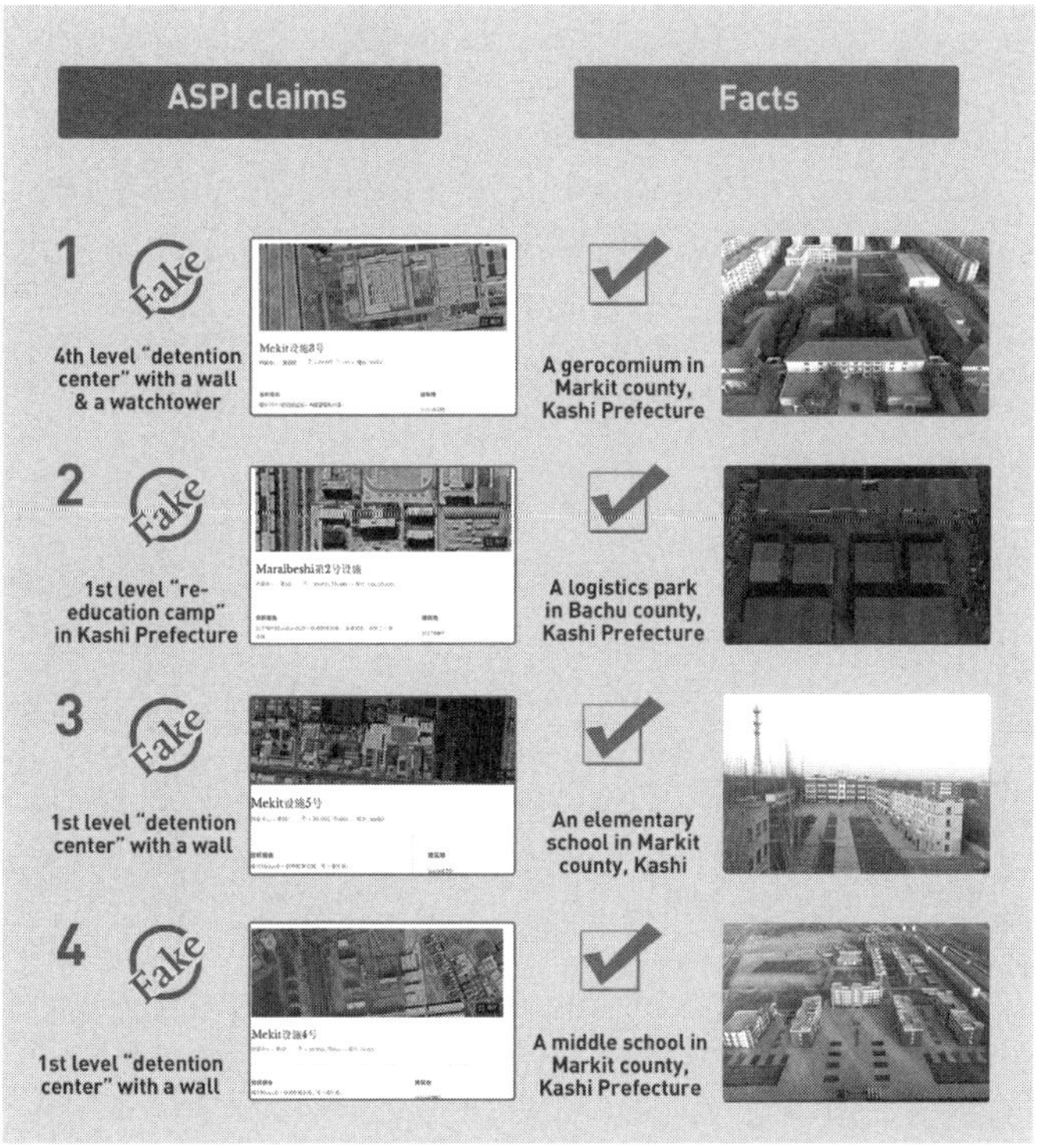

2020年11月27日、『人民日報』傘下『環球時報』の英語版『Global Times』（Web版）に掲載された、ASPIが主張するキャンプの検証記事。1は老人ホーム、2は配送センター、3は小学校、4は中学校と写真とともに反論している。

国内での記者会見も、世界が真相を見極めるための重要な情報源のひとつだ。

「ジェノサイド」認定を否定した米国務省法律顧問室

このようなウイグルに関する疑惑は、本来であれば揺るぎないファクトを発信しているはずの研究機関や研究者にも向けられている。たとえば、先述のオーストラリアのシンクタンクＡＳＰＩである。同研究所は、ＢＢＣと並んでウイグル問題追及の先頭を走っているが、彼らが発信した問題には事実誤認、というより中国側がはっきり虚偽だと指摘している点が多い。

ひとつ挙げれば彼らが細かく特定し、再教育キャンプの疑いがあると指摘した３８０の施設についてだ。中国はウイグル自治区内に職業技能教育訓練センターを設置していて、そこに一部の犯罪者を送っていることは認めている。だが、大量のウイグル族が再教育キャンプ（以下、キャンプ）なる施設に入れられていることは否定している。

そして、**ＡＳＰＩが写真つきでキャンプの疑いを指摘した３８０の施設のうち、90％にあたる３４３施設は、実は学校や政府機関や研究所、病院、商店などであることを、自治**

区政府は一つひとつ突き止めて否定している。なかにはグーグルの地図で簡単に確認できるものまであったという。

疑惑なのだから、間違いがあるのも仕方がないといえばそれまでだが、ならば現地に駐在しているメディアは、中国が否定した施設を「自分の目で確かめさせろ」と要求すべきではないだろうか。再教育キャンプの存否は、人権侵害を追及するうえでも核となるファクトのはずだ。その真偽を確かめることは、この問題に関心をもつ読者にとって極めて重要な判断材料のひとつとなる。また、中国側もこの点では取材拒否はしないはずだろうし、取材拒否をしたら、その理由をまた問い詰めればいい。

先述のＢＢＣは、番組内容そのものが「虚報」と一蹴されているのに、少なくとも現在に至るまで効果的な再反論はできていない。こうしたＢＢＣといい、ＡＳＰＩといい、ジャーリスト、研究者が本来もつべき姿勢を欠きながら、ウイグル問題の追及を行っていることへの違和感は否めない。

これが情報の〝上流〟で起きている現実だとすれば、その〝下流〟の〝下流〟にいるわれわれ日本人が受け取る情報は、いったいどれほどのものなのだろうか。

念を押すが、ＢＢＣやＡＳＰＩの発信や、彼らが依拠するゼンツの報告に多くの疑義が投げかけられているからといって、中国の少数民族政策に瑕疵がないという話をしているのではない。端的に言えば、民族問題はあるのは間違いないが、では、こうした不確かな状況において、それをどう論じるべきなのか、というのが大事だということだ。

たとえば、ウイグル族の環境が変わることを願う――これ自体も内政の問題だが――にせよ、それを外国で大きな声を上げている人々を通じて行うのか、そうではないのか。また、ウイグル問題の〝着地点〟をどこに置いて論じるべきなのか。確からしいことがないなかで、西側メディアの発信にも疑問符がつけられているのだから、われわれ日本人がこの問題を扱うことに慎重になるのは、むしろ当然ではないだろうか。

ウイグル問題をめぐってはカナダやイギリス、そしてアメリカ、オランダに続きリトアニアが、それぞれ議会で「ジェノサイド」と認定した。そう聞けば、「やっぱり、民族迫害が起きているのだな」と思わずにいられないだろう。だが実際には、**アメリカの国務省法律顧問室が「ジェノサイドであることを証明する十分な根拠は存在しない」という見解を示しているように、事実関係の認定には〝限界〟がある**のだ。

こうなると頭をよぎるのは、「ウイグル問題は政治化され、利用されているのでは?」という疑問だ。つまり、ウイグル族にスポットを当てることは、彼らの問題を解決することを目標にしているのではなく、この問題を通じて中国に揺さぶりをかけることこそが真の目的だという視点だ。これを、中国外交部報道官の趙立堅《ジャオリージエン》は２０２１年5月26日の会見で「以彊制華」（ウイグル問題で中国を牽制する）と表現した。

中国のメディアがＡＳＰＩについて触れるときは、決まって「反華智庫《ファンホアジークー》」（反中シンクタンク）という形容詞を用いるのもその流れから説明できる。中国の子どもっぽさや敵に容赦ない一面を表していて好きになれない――反日デモが吹き荒れたころの時代を思い出す――中国政府の体質だが、指摘はまったく的外れとは言い切れない。

たとえば、ＡＳＰＩの役割についてオーストラリアの雑誌『Financial Review』（ウェブ版）は２０２０年2月15日、〈オーストラリアの中国観の変化の裏にシンクタンク　国防省が支援するオーストラリア戦略政策研究所は、北京コンセンサス崩壊の発火点となった〉というタイトルで記事を掲載している。その冒頭にはこんな記述がある。

> 火曜日のオーストラリアの上院では、労働党のキム・カー議員が「新たな冷戦を戦うことに熱心なタカ派」に対して噛みついた。彼が問題視したのはオーストラリア戦略政策研究所で、同研究所は、彼によればアメリカ国務省から45万ドル近い資金（ＡＳ

Ｐ I 側によると、実際に受け取ったのはその半分以下）が流れていて、中国と研究協力しているオーストラリアの大学を調査し、そうした研究者と彼らの研究成果を「しつこく誹謗中傷している」という。

さらにこの記事では、ＡＳＰＩはオーストラリア国防省、アメリカなどの外国政府、そして軍需産業から資金提供を受けており、その金主が望む〝研究成果〟を次々と発表し、「反中ヒステリー」を煽っているとも書かれている。**ＡＳＰＩという組織が、われわれがオーストラリアのシンクタンクと聞いて普通にイメージする学術的で中立的な姿とは、かなり異なる性質を備えている**ことがわかるのではないか。

CIAが〝駒〟として考えていたウイグル族

ウイグル問題を調べていると、かなり高い頻度でこのようなアメリカの影がちらつくことに出くわす。そこには、ＡＳＰＩと同じく重要な組織がある。**全米民主主義基金（National Endowment for Democracy＝NED）**である。

中国の駐オランダ大使館のホームページに掲載された記事（２０２１年４月29日）、「Things to know about all the lies on Xinjiang: How have they come about?」（新疆に関して知っておくべきあらゆるウソ：どのようにそれらは発生したのか？）では、「２００４年以来、ＮＥＤはウイグルの在外組織を通じて８７６万ドルを新疆ウイグル自治区の反政府運動に提供した」と記されている。

こうしたことは、いわゆる「陰謀論」とはまったく次元が異なる。むしろ国際政治を見るうえで、当たり前に備わっていなければならない視点だ。**ウイグル族の不満は、古くは旧ソ連が中国に揺さぶりをかけ、中央アジアでの支配を確立するために利用されてきた。さらに、トルコが中国との取引を有利に進めるための材料とされ、そしていま、アメリカが中東情勢と石油に興味を失って以降、彼らのアジアシフトのために使われ始めた**という見方ができるからだ。

２０２１年3月26日、中国外交部の定例会見で異例のビデオ上映が行われ、集まった記者たちをざわつかせた。このとき上映されたユーチューブ映像に映っていたのは、かつてコリン・パウエル米国務長官の首席補佐官を務めていたローレンス・ウィルカーソン元米陸軍大佐。内容は、２０１８年8月、アメリカの「ロン・ポール平和と繁栄のための研究所」で行われた講演である。

この講演でウィルカーソンは、アフガニスタンに米軍が駐留する3つの理由を挙げ、そのうちのひとつが中国封じ込めであると述べた。

「CIAが、中国の新疆にいる2000万人のウイグル族を使って政情不安を掻き立て、中国政府を刺激し続ければ、外部の力を必要とせずに内部から中国を崩壊させられるだろう。これがアメリカの目論見だ」

もちろん内輪の講演で語ったことであり、そのままアメリカの正式な政策だとは限らない。だが、アメリカの政府高官経験者の頭のなかに、こうした考え方や策略があることは間違いないということだ。

同じように、2015年に行われた元米連邦捜査局（FBI）の翻訳者、シベル・エドモンズのインタビューも参考になるかもしれない。そこで彼女は、新疆ウイグル自治区について聞かれたところ、次のように答えている。

「新疆の少数民族には自分の土地がなく、中国政府は彼らを虐殺し、苦しめ、さらに現地に軍事基地を設ける必要があると主張している。だが、われわれはこうした人々を気にかけたことはない。なぜなら、彼らは利用できるか、われわれの目的を達成できるかでない限り、われわれの利益の範疇にないからだ」

　エドモンズは爆弾発言をすることで有名な人物なので、受け止め方には少し注意が必要かもしれない。しかし、言っている内容は、前出のウィルカーソン発言と平仄《ひょうそく》が一致している。

　いずれにせよ中国嫌いの日本人が、テレビで泣いているイスラムの女性の話を耳にし、同情をしたからといって、徒手空拳のまま出しゃばって行って、何かが解決できるような場所ではないことだけは、おわかりいただけたのではないだろうか。理解が浅いまま出ていけば、日本の立ち位置さえ見失ったまま利用されることだろう。

　そして残念なことにこの構造は、日本人がウイグル以上に好きな香港にも当てはまることなのである。

香港民主化運動の裏で暗躍するNED

　先に指摘したＮＥＤは、香港の民主化運動にも資金提供していることを自ら公言している組織だ。彼らのホームページには、２０１３年に香港の人権擁護の運動などに69万

５０３１ドルを援助したと明記している。

１９８３年に当時のロナルド・レーガン米大統領の特命で設立されたＮＥＤは、もともとは対ソ連目的で、民主主義を守護・拡大する目的をもつ。それまではＣＩＡなどが秘密裏に行ってきた海外の親米派への資金提供や援助を、民間のＮＧＯとして――といっても資金の大半は議会から与えられている――引き継いだとの指摘もあり、メディアでは「オープンなＣＩＡ」と呼ばれることもある団体だ。

中国はかねてから、各国の反政府活動の裏にこの組織があるとみて警戒してきた。ＮＥＤが約69万ドルの資金を香港の活動に与えた２０１３年は、時期的に考えても、翌年に起きた香港の行政長官選挙をめぐる民主化要求デモと結びついたと考えるのが自然だ。かつて国防総省顧問を務め、『China2049』の著者としても知られるマイケル・ピルズベリーも、２０１４年10月に米ＦＯＸテレビのインタビューを受けた際、次のように答えている。

「米政府は、たしかに今回の運動に一部関与している。香港の民主を確保するため、在香港アメリカ総領事館が関連政策の処理を担当している」

図らずもピルズベリーは、中国側が抱いた疑念が的外れではないという見解を示したのである。

ＮＥＤは米政府と香港の活動家の仲介もしており、香港民主化のリーダーたちは、その招きでアメリカを訪れている。

興味深いことに、アメリカのために働くこのＮＥＤに対し、トランプ政権は予算の削減を考えていたという。２０１８年３月８日『ニューズウィーク』（日本語版）が報じた記事〈トランプ政権「世界の民主化運動を支援するお金はもうない」〉から少し長いが、一部を紹介しよう。

　米国務省が、全米民主主義基金（ＮＥＤ）の予算を大幅に削減しようとしている。（中略）ドナルド・トランプ米政権が２月に発表した２０１９会計年度（18年10月〜19年９月）の予算教書に沿って、国務省はＮＥＤの予算を２０１８年度の１億６８００万ドルから６７００万ドルへと３分の１まで縮小する方針だ。さらに、全米民主研究所（ＮＤＩ）や国際共和研究所（ＩＲＩ）などＮＥＤの中核となってきた組織に個別に割り当ててきた予算も、今後は米国務省の一般予算に組み入れたい、としている。

　ＮＥＤの予算削減や見直しを、米議会が承認するかどうかは不明だが、もし認められれば、トランプ政権は海外の民主化運動を見捨てた、という誹りを免れないだろう。

もし記事が伝えるとおりの動きが本当に政権内部起きていたとしたら、NEDは当然、自らの存在意義に疑問符を投げかけられたと組織存亡の危機を覚えたに違いない。つまり組織の重要性をアピールする必要に迫られていたことになる。ならばその主戦場は間違いなくアジアであり、実績は対中国で積むのがベストなはずだ。

この後、2019年6月から大規模な「反逃亡犯条例改正案デモ」が起きているわけだから、NEDを警戒してウォッチし続ける中国が、これをアメリカの仕業と考えるのも無理からぬことだ。逃亡犯条例改正案は、もともと台湾で恋人を殺したと疑われたまま香港に逃げ帰った容疑者の男を台湾に引き渡す法的根拠がなかったことから、香港政府が改定を試みたことを指す。

当初、容疑者引き渡しができない法律の不備やその後進性が批判されていたのに、いざ改定に動き出すと今度はにわかに「中国に政治犯を引き渡せるようにするための悪法だ」として、民主派が一斉に攻撃に出たのである。香港政府にしてみれば、一種の騙し討ちにあったような印象だろう。

日本でニュースを見ていて違和感を覚えたのは、「政治犯を中国に引き渡すことが可能

なぜ高校生が、アメリカの大物政治家と会えるのか？

NEDは、2014年の雨傘運動以前から香港の活動家を支援していた。、2021年6月24日に廃刊された『蘋果日報』の創業者である黎智英（ジミー・ライ）も、デモの熱心な支援者のひとり。黎はポンペオやペンスとも会っていたことから、中国政府から「CIA工作員」と非難されていた。また、民主化運動の中心人物である黄之鋒（ジョシュア・ウォン、現在収監中）は、高校時代からナンシー・ペロシ下院議長（写真上）やマルコ・ルビオ上院議員（写真下）らアメリカの大物政治家と会っている。

になる」という文言だ。そんなことは法律が改定されようがされまいが、中国政府は自由自在にやっていたことをメディア自身が報じ批判してきたのではなかったか。

たとえば、中国共産党幹部の私生活を取り上げるゴシップ本などを出版して目をつけられた「銅鑼湾《どらわん》書店」の株主の桂民海《けいみんかい》は、スウェーデン国籍であるうえにタイへの旅行中に姿を消し、最終的には浙江《せっこう》省の裁判所で禁固10年が言い渡されている。そんな中国が、いまさら「逃亡犯条例改正」でもないだろう。

もちろん香港の問題もウイグルと同じように、すべて米中間の駆け引きだけで説明できるものではない。香港の人々のあいだに蓄積された中国への不満――習近平政権に対してだけでなく、中国人に対する漠然としたものもあるだろう――というガスがなければ、あれほどの規模で運動が盛り上がるはずはないからだ。

ただ本書では、日本のメディアが一面的に報じる「香港の人々が日々拡大する中国の影響力と香港自治への介入に抵抗し、弱いながらも必死に民主主義という普遍的な価値観を守るために専制主義と闘っている」という物語ではない、別の視点を提供したい。日本人が国際政治に対する耐性を高めるためにも、それが必要だからだ。

香港社会の実態は民主派6：親中派4

まず押さえておかなければならないのが、香港人の対中感情の変遷だ。1997年に中国へ返還された後の環境の変化を心配していた香港の人々が、その後もずっと中国の支配を嫌悪してきたかといえば、実はそうではない。返還直後に香港を襲ったアジア金融危機に対し、中央政府が救いの手を差し伸べたことが大きかったとの説もあるが、大陸からの投資と観光客が飛躍的に香港経済を盛り上げた影響は見逃せない。そして、少なくとも返還から10年ほどは、大陸・香港のハネムーン時代を過ごすことになるのである。

この間、尖閣問題などをめぐり大陸の反日活動家たちも驚くほど激しい怒りを、香港の活動家たちが日本へ向けたこともあった。中国人としての意識も定着し、**2008年6月に行われたアイデンティティ調査では、自らを「中国人」と答えた割合が38・6％に達し、対する「香港人」と答えた人はわずか18・1％にとどまった**。香港の人々が置かれている政治環境は、デモが深刻化した近年と比べほとんど変わらないのに、である。

この蜜月関係に変化が訪れるのは、北京オリンピック前後のことだ。大陸の人々の所得が香港の人々を上回る傾向が顕著となり、香港の人々の生活を圧迫するようになっていったからだ。初期に起きたのは粉ミルク買い占め問題だった。

当時、中国では食品偽装問題が深刻化していた。とくに乳幼児の飲む粉ミルクにメラミンという物質が混入される事件が多発し、大陸の裕福な人々はこぞって外国の粉ミルクを求めるようになった。そして、その外国製粉ミルクを調達するために、人々がどっと押し寄せた——実際には業者が買い占めたのだが——のが香港だったのだ。

香港の商店は大陸のバイヤーの需要に応えるため、粉ミルクを店頭に置かなくなり、たとえ店頭に出しても強気な値札をつけたりした。これが子育てをする香港人にとっての、大きな負担になったことは言うまでもない。

さらにこの波は、高度な医療と香港籍を求めて、出産のために大陸の人が押し寄せたことによる産婦人科病院不足、また、同じく質の高い教育を求めてやってきた大陸の子どもたちによって、有名な進学校の定員がいっぱいになってしまうといった問題へと発展。ついには不動産価格の異常な高騰まで招いてしまうのである。

ちなみに**反逃亡犯条例改正案デモが起きる年までの10年間だけを見ても、香港の不動産価格は約3倍に値上がり**している。当然、家賃もこれに連動して上がったため、香港の人々は住宅問題に悩まされるようになったのである。

この変化と並行して、これまでは目立たなかった大陸からの観光客のマナーの問題が脚光を浴びるようになり、街には「中国観光客反対」のプラカードを掲げデモをする一団まで現れたのである。

この香港の反応を嫌った大陸の観光客が、この後に韓国へと向かい、やがて日本へと流れてきて「爆買い」現象を引き起こしたのである。

まとめれば、香港人にとって大陸の人々は、不動産価格の高騰による実質賃金の低下など、自分たちの生活を困窮させる〝禍《わざわい》〟となったのである。と同時に、大陸とうまくやった一部の者だけは、大きな富を手にするという実態も顕著だった。

その明暗は、半島側の中心、九龍《クーロン》の目抜き通りである「ネイザンロード」に面した商店の入れ替わりを見れば一目瞭然である。以前はカメラや最新式の家電がウインドウを埋めていた家電製品店がひしめいていたが、そうした店はもはやとっくのとうに見当たらない。いま目抜き通りを占めているのは、大陸の人々に愛されるお土産物店と、化粧品や薬を扱うドラッグストアである。こうした変化が香港社会のありとあらゆる場所で起き、親中と反中の分断を作り出していったのだ。

加えて反中の流れを後押ししたのが、大陸の習近平政権が醸し出す中央集権的空気だ。そして香港の人々は、自分たちの未来が赤く染まることを急速に嫌悪し始めるのである。

極めて大雑把だが、香港の視点から中国を嫌う理由を日本ではあまり伝えられない要素から探ってみた。これだけを見ても、デモに参加した人々が獲得したかった勝利が、実は千差万別だったことや、大きなデモのうねりの裏側で、黙ってはいるものの中国との関係を肯定的に見る香港人も少なからずいたことも理解されたはずだ。

2019年の11月に行われた区議会議員選挙は、香港社会の民意を測るバロメーターとして注目された。結果は、民主派議員が議席の8割を押さえる圧勝となったのを記憶している人も少なくないだろう。

だが、実はこの**選挙の結果を議席数ではなく得票数から親中と反中の割合を比べてみると、およそ民主派6対親中派4と、西側メディアが作り出したイメージほど反中一色に染まっているわけではない**ことも見えてくる。この6対4は、おそらく社会の実態に近い比率だろう。

というのも香港政府と主要産業は、基本的に中央政府とウインウインの関係で、それに連なる香港人も同じように〝果実〟を得られるという基本構造がガッしりと根づいているからだ。

イギリス統治時代は、選挙どころか高度な自治さえなかった香港

香港問題を扱う日本のメディアの報道を見ていて気になるのは、北京と対比する際、常に香港がひとつのまとまった存在として描かれ、権力に対する抵抗者に位置づけられることだ。「一国二制度」を掲げて香港を取り戻した中国は、実は軍事と外交、主要産業、そして国家安全に関わる分野以外は、香港を極めて慎重に扱おうとしてきた。香港を、「東洋の真珠」と呼ばれた姿のままで取り込みたかった鄧小平の思惑が働いていたからだ。

1982年、香港の返還についてイギリスのサッチャー首相との話し合いに臨んだ鄧小平は、一部返還を持ち出したイギリスに対し「明日、武力で取ることもできる」とすごみ、全面返還を勝ち取った。これが中国の香港に対する基本的な姿勢である。その後、**香港統治の特徴となる「一国二制度」や「港人治港《ガンレンジーガン》」は、実はイギリスや香港人が中国から勝ち取った権利ではなく、中国側からの発案だった。**

日本でもよく知られた「一国二制度」の発想の源流は、1979年に発表された「台湾同胞に告げる書」だ。武力解放から平和統一へと転換した象徴であり、これを受けて1981年、当時の全人代委員長だった葉剣英が台湾の高度な自治権などを盛り込んだ「9項目提案」を提起した。いずれもアイデアは鄧小平とされ、これを香港へと適用させたのである。

当時、鄧小平の頭には「香港が中国に返還されると、香港の人々が動揺して外に逃げてしまい、香港がもぬけの殻になってしまうのではないか」という懸念があったとされる。そこで、「東洋の真珠」を真珠のまま取り込むために考え出されたのが「一国二制度」や「港人治港」であった。そして、ここでいう「港人」とは、鄧が逃げてほしくないと考えた香港の経済界の巨人たちを指していたのだ。

これを如実に表しているのが、香港の議会にあたる立法会の構成だ。2021年3月の全人代で、候補者から「非愛国者」を排除する新条例案が出されて話題となったが、これ以前から70ある議席のうち30議席を、選挙ではなく各産業界から特別に選出するという制度となっていたのはよく知られている。これも日本では「共産党が権力を安定させるため」と報じられるが、基本は金融や流通、商社などといった経済界の代表が主である。

また**行政長官も香港の「金持ちクラブ」から選出され、香港では「ビクトリアピーク（香港島の観光名所でもある高台）の豪邸から香港を見下ろしている人々が持ち回りでやるポスト」と揶揄されてきた**。

つまりデモ隊が権利拡大を求めれば、まず立ちはだかるのは同じ香港人で香港経済を牛耳ってきた富豪のグループであり、中国共産党ではない――当然その背後にはいるが――のだ。そうした金持ちクラブの人々は、実はイギリス時代から変わらず香港の日常（非政治的な部分）を実質的に動かしてきた。

ここで少し根本的な話をすれば、**イギリス統治時代の香港に生きた人々は当然のことながら植民地の住人であり、高度な自治どころか、返還が迫る直前まで選挙すらしたことがなかった**。むしろ反対に中国に返還されてから、たとえいびつで偏った形とはいえ、選挙を行う権利を得たことになる。もちろん、「だから香港人は満足すべき」という話をしたいのではない。マスコミのミスリードしがちな点として、香港人は返還前に何らかの権利を享受していたわけではないと指摘しているのだ。

北京の視点で見たとき、大陸の人間が享受したこともない権利を得て自由に暮らしている香港人の存在は、「なぜ、あいつらだけ」という不満につながりかねないリスクを常にはらんでいる。つまり**一国二制度は、共産党指導部にとっても高度な判断を要した決断だったのだ。**

香港人が、それでも自分たちの権利が「足りない」といって、さらなる要求を突きつけたとしても、それはそれで理解できる。しかし、イギリス統治時代から見て自分たちの自由や権利が失われたといった論理を振り回し、あまつさえデモ隊がユニオンジャックどころか植民地時代の香港の旗を振って五星紅旗を焼く姿を目撃すれば、やはりその目的は単なる民主化の枠を超えていると言わざるを得ないだろう。

香港警察を主導したのは中国人ではなくイギリス人

治安の面でも、香港には明らかに緩い空気が流れていた。大陸で厳しい取材をして香港にたどり着いたときには、大きな安堵のため息が出たことを思い出す。

実際、大陸では検索さえ許されていない天安門事件の犠牲者の追悼集会が、香港では少なくとも2019年までは堂々と行われており、警察に逮捕された反政府活動家が釈放後にテレビカメラの前で会見しても、武装警察に無理やり中断させられることもない。いずれも大陸では考えられないことだ。

デモも同じで、イギリス時代はなおさらデモに対しては厳しかったことは、１９６７年に発生し、約１０００人の死傷者を出した「香港暴動」を例にとるまでもない。

デモに対して厳しい対応をするというイギリス統治時代のDNAは、実は現在の香港警察にも受け継がれている。興味深い記事があるので紹介したい。２０１９年7月22日の『ニューズウィーク』（日本語版）の記事だ。タイトルは〈香港デモ弾圧はイギリス人幹部が主導していた！〉。以下はその抜粋だ。

警察の非道な手法は今も、香港警察で中心的役割を担うイギリス人警察官に受け継がれている。香港警察は１９９４年に外国人の採用を中止したが、一部のイギリス人幹部は返還後も香港警察にとどまって上層部を牛耳っている。非難を浴びた6月12日のデモ弾圧でも、ルパート・ドーバー警視を筆頭に3人のイギリス人幹部が中心的役割を担った。

執筆したのはイギリスのNGO「ブリッツ・フォー・ホンコン」共同創設者のジャック・

ヘイズルウッドだ。たしかに、2019年の7月からにわかに激化したデモ隊と警察の衝突を見て、これは明らかに大陸のやり方ではないと私も感じた。1986年から学生として彼の地のデモに参加し、その後、数々のデモを現地で直接見てきた経験からも違和感を覚えたのだ。とくに初期の段階で、催涙弾を発射したことが疑問だった。

大陸の警察は、デモの初期段階ではむしろ我慢強く耐え、彼らが目標を失って求心力が落ちたところで一気に取り締まるというやり方をするからだ。高尚なスローガンほど、人心を引きつけ続けるのは難しい。だが、そんなところに催涙弾を撃ち込めば、「警察に負けるな」「横暴を許すな」という明快で結束しやすい動機を、デモ隊に与えてしまう。だが、ほとんどの日本人は、香港警察が若者に警棒を振り下ろす姿を北京流の横暴なやり口として受け止めたはずだ。

前掲記事にあるように、1994年まで香港警察はイギリス人を採用していた。親が警官だという理由で「娘が学校で深刻ないじめにあっている」と涙ながらに訴えたのも、「阿Sir」（お巡りさん）と呼ばれる白人の警察官だった。デモ隊は、警察に対抗するためにネットを駆使した。その有効な手段のひとつとされたのが、警官の家族の写真をネットにさらすこと。そして、子どもを「学校でいじめろ」、妻を「地域で仲間はずれにせよ」と非情にも呼びかけたのだ。

たしかに必死に自由を求めて訴える香港の若者たちの姿に、感動を覚えた。また、そんな彼らが地面に組み伏せられ、血を流している姿を見るのもつらいことではあった。

しかし、その一方で彼らの一部が、警察の子どもというだけで小学生や中学生に〝重たい十字架〟を背負わせていたと知ったら、どうだろうか。**道路に散乱したレンガを片づけていた70歳の男性に、デモ隊がレンガを投げつけて死に至らせる。あるいは、政府支持派の男性にオイルをかけて火をつける**。こうした衝撃的なシーンの映像も残っている。

また親中派の商店やレストランに色をつけた地図を配り、不買運動を煽るだけでなく直接店を襲撃する事件も頻発した。大きく報道されたものでは、空港を占拠して出国を準備していた外国人さえ一歩も空港に入れず、地下鉄を止め何時間も入り口に居座って運行の妨害をし、道路を封鎖して救急車さえ通さなかったこともあった。

２０１９年6月上旬に行われたような整然として平和的なデモであれば、北京も国際社会の目を気にしたはずだが、これでは**取り締まりの口実をデモ隊自らが与えているようなものだ**。

そして、そんな戦略の稚拙さ以上に気になったのが、意見の異なる者を容赦なく攻撃する姿勢だ。彼らがたとえば権力を握ったら、本当に民主的な世界を作ってくれるのだろうか。意見の違う者に対してこれほど不寛容な攻撃をする者たちが、共産党が驚くような民主的なやり方で香港を治めていけるとでもいうのだろうか。先述したように区議会議員選挙の結果からみれば、意見の違う香港人は4割近くに上るのだ。その人々がデモをしたとき、いったいデモ隊参加者に対してどんな反応をするのだろうか。

同時に気になったのが、メディアの対応だ。世界中のメディアに出演した、多くのリーダーたちはデモ隊の暴力を「仕方がない」と公言してはばからなかったが、そうした若者に対し、どうして記者たちは、「どんな理由があるにせよ、暴力はいけないのではないか」と質問することができなかったのか。

そもそも日本人は香港を応援することで、何を期待しているのだろうか。

香港は、水と電気を大陸から送ってもらうことでやっと回っている土地だ。そこでユニオンジャックと星条旗を振り、自分たちは中国人ではなく香港人だと主張するデモ隊を応援しても結果は見えている。

ついでに言えば、この疑問はウイグル問題への対応にもあてはまる。仮にウイグル族が独立してイスラム国家——東トルキスタン——を建国できたとして、同地にはウイグル族

一部のデモ隊は勇武派＝暴徒と化した

当初は整然と行われていたが、次第にデモ隊は過激化。立法院や警察に火を放つ、警官を襲うなど暴力行為はエスカレートしていった。左上はルパート・ドーバー香港警察警視。デモ隊への発砲を命じたとされる。

以外に13もの少数民族がいる。彼らがまた新たな少数民族問題を引き起こす導火線となりうる、とは考えられないのだろうか。

こうして見ていくと、実は日本の選択は簡単ではない。とくに〝正しいこと〟をしようとすれば、さらにハードルは高まる。

だからこそ、国際政治の場では「自国利益」という基準から離れてはいけないのだ。

ロシアがいくら秋波を送っても、中国が「同盟」を結ばないワケ

最後に、日本のすべき選択について話を進めていきたいのだが、その前に確認しておくべきは、香港やウイグルの問題でアメリカを中心とした西側先進国からの包囲網にさらされている中国が、いったいどこに向かおうとしているのか、である。

第1章と第2章で触れたように、習近平指導部にとって対米関係の見極めは、「アメリカが、最終的に中国の死を望んでいるのか否か」を判断することでもある。しかし、その判断を立ち止まってしていられるほど、国際政治はのんびりとは動いていない。つまり中国は常に最悪の事態、つまり〝中国の死〟に備えなければならなかったのである。これが

第2章の終わりで触れた、中国の新たな発展戦略「双循環」へとつながったのだ。

双循環は、国内と国外のふたつの循環を意味すると説明されるが、その本質は国内シフトであることは、すでに説明したとおりだ。中国は「デカップリング」など望んでいないが、本当にそういう流れができたとしても耐えられる態勢に入ったということである。

中国一国になってもなんとか最低限の状態は確保できるというのが、経済分野における中国の方向性と考えられる。では政治面では、どのような選択をしていくのだろうか。

本章で触れてきた香港やウイグルの問題で圧力にさらされ、新型コロナウイルスの武漢ウイルス研究所流出説を何度も蒸し返され、２０２２年の北京冬季オリンピックのボイコットをちらつかされ、さらにはアメリカが重要な国際会議や首脳会談を行うたびに、中国にとって最も敏感な台湾問題をその声明に入れられるということが繰り返されている攻撃に対し、どう対処しようとしているのか、である。

中国が目指しているものをひと言で言うならば、それは**「脱米入連」**だろう。わかりやすいのは２０２1年3月18日、米アラスカ州で行われた米中外交トップ会談での楊潔篪共産党政治局員の発言だ。肝心の楊の発言は以下の部分だ（『日本経済新聞』〈米中外交トップ会談冒頭発言全文（上）〉２０２1年3月23日）。

中国と国際社会が従い、支持しているのは、国連を中心とする国際システムと国際法に裏づけられた国際秩序であり、一部の国が提唱するいわゆる「ルールに基づく」国際秩序ではない。米国には米国式の民主主義があり、中国には中国式の民主主義がある。米国が自らの民主主義をどのように進めてきたかを評価するのは、米国国民だけでない。世界中の人々が評価する。

「世界のルールを決めるのはアメリカではない」と中国が強くけん制しているのが、一読してわかる。こうしたことは、外交部の報道官たちも表現を変えながら繰り返し表明してきている。

ここ数年――とくにトランプ大統領の登場から――中国は、アメリカの出方を見て自らの形を変えることを繰り返してきた。典型的なのが２０１６年のダボス会議だ。そこではトランプの「アメリカ・ファースト」に対抗軸を設けるように、自由貿易への支持を習近平が強く打ち出した。トランプ政権がパリ協定からの離脱を決めれば、環境問題に積極的に貢献するというプランを大々的にぶち上げ、アメリカがＷＨＯから脱退するといえば、すぐにWHOへの資金提供を発表し、国連重視の姿勢を前面に出すといった具合だ。

ただし注意が必要なのは、この国連こそが唯一の世界のルールという考え方は、かなり年季の入った中国の外交方針であり、ここ数年のアメリカの変化を受けた方向転換ではないということである。中国がこだわる「非同盟」はそのひとつの象徴であり、**ともにアメリカから敵視されるロシアがいくら秋波を送っても、「同盟」という枠組みには決して踏み込まない**姿勢にも表れている。

西側メディアと日常的に接しているわれわれは、中国といえば国際ルールを守らない国というイメージを持っているだろうが、これは誤解だといえよう。たとえば、国際ルールを無視という実例で最初に思い浮かぶひとつに、南シナ海問題があるだろうが、これこそが誤解の典型だ。

すでに第3章でも少し触れたが、オランダ・ハーグの常設仲裁裁判所が南シナ海に中国が引いた9段線の法的根拠を否定したのに対して、中国がそれを「紙くず」だと切り捨て日本のメディアは驚きをもってこれを報じた。

しかし中国がこうした態度をとったのは、中国側はこの問題を「歴史的権限に関する紛争」としてとらえ、あらかじめ「受け入れない」ことを宣言していたにもかかわらず、フィリピンが無視して裁判を進めたからである。この適用除外宣言は、多くの国が国連海洋法条約に加盟して間もなく行っているもので、中国も２００６年に宣言している。

さらに問題は中国に「ルールを守れ」と強く迫っているアメリカ自身、実は国連海洋法条約を批准していないのである。自分は国連海洋法条約などによって行動を制限されたくないというのに、中国にはルールを守れという。それが通用するのは、ひとえにアメリカが超大国だからである。

今後の国際戦略のキーワードとなる「教師爺」

さらに象徴的な変化がある。それは**トランプ政権下の財務省が中国に対して下した「為替操作国」の認定（２０１９年８月）に対し、国際通貨基金（ＩＭＦ）がそれを否定したことである。結局、米財務省は翌年１月に認定を解除している。**

いずれも国際機関が日本人のイメージに反して中国に軍配を上げた事例だが、こうしたことは、われわれが新型コロナウイルス感染症の拡大で目撃した中国とＷＨＯの関係とも重なるのではないだろうか。

西側メディアでは、「中国が豊富な資金力や、人材を積極的に送り込むという手法で組織を取り込んだ」と報じられ、そんな解説もあふれ返るが、ＷＨＯへの影響力という点でいえば、資金面でも人材の点でも、圧倒的なのは当然のことながらアメリカだった。そうしたなかで、今回のコロナ禍とＷＨＯをめぐる論争が起きたということを、考えなければならないだろう。

そもそも、中国が西側メディアの指摘するようにカネとヒトを使ってＷＨＯやＩＭＦ、ＷＴＯに対する影響力を手に入れていたとしても、それは、とりもなおさず中国が国際機関を重視している証左ともいえる。また、国際組織の枠組みのなかで有利な状況を作り、問題を解決しようとしていること自体は、批判されるべきではないだろう。

さらに興味深いことに、中国は本章で少し詳しく触れた香港やウイグルの問題においても国連で、アメリカを中心とした西側先進諸国からの批判をかわしているのだ。

２０２０年6月30日、ジュネーブで開かれた第44回国連人権理事会では、53カ国が香港地区国家安全維持法を支持。次の第45回国連人権理事会会合では、国連人権高等弁務官報告をめぐる一般討論で、多数の国の代表が、香港と新疆問題について「中国を支持する」と表明したのだ。

続く2021年3月の同46回会合では、ベラルーシが70カ国を代表して共同スピーチを行い、中国が香港特別行政区において「一国二制度」を実行することへの支持を表明し、同じくキューバが64カ国を代表してウイグル問題における中国の立場を支持している。第47回（6月22日）でも、同様のことが繰り返された。

こうした現象は、いまや中国が大きな声で主張すれば、それなりに通る国際環境が生まれつつあることを意味している。中国が正しいとか、あるいは大国としての支持を獲得し始めているといった話ではない。そうではなく、**アメリカやその他の先進国から頭ごなしに後進性を指摘されることへの反発が、国際的な中国支持の流れを形成しつつある**ということなのだ。

布石は、先に引用したアンカレッジでの米中外交トップ会談にある。**キーワードは「教師爺」**だ。「教師爺《ジャオシイイエ》」とは本来「長老」や「師匠」などの意味で使われるが、昨今の中国メディアでは「偉そうな」という形容詞で使われている。

アンカレッジで楊潔篪は、「あなた方には上から目線で中国と話す資格はない」と険しい表情で語った。中国語で言う上から目線「居高臨下《ジュウガオリンシア》」は、要するに「教師爺」の別バージョンだ。そしてこの「教師爺」こそ、中国が国際社会のなかで緩やかな反米の空気を作るためにばら撒いた〝価値観〟なのだ。上から目線で民主化を押しつけるアメリカや西側先進国の「教師爺」的行為に反発を抱く国は、決して中国だけではないという見通しがあってのことである。

この言葉の伝染力は、早くもロシアで発揮された。アンカレッジの会談の直後の3月30日、同国の報道官のドミトリー・ペスコフは、「プーチン大統領はアメリカやその他の国が、上から目線で話をすることを許さない」と語って呼応したのだ。

「民主化の遅れた」国々の支持獲得を目指す外交シフト

実際、社会のなかでマイナーな存在を糾合して大きな力に変えるのは、歴史を見るまでもなく中国共産党の得意技でもあるが、求心力の源はそれだけではない。冷戦が終わった後の世界は、アメリカがかかわった民主化の名の下で多くの独裁政権が打倒され、市民が熱狂するのを見てきた。だが、反政府運動が生み出した新しい国家が、国民を幸せにしたのかと問われれば首を傾げざるを得ない点も少なくない。

イラク、リビア、シリアなどは論外としても、「アラブの春」の唯一の成功例と評されたチュニジアでさえ、人々は困窮にあえいでいる。先に紹介した人権理事会で、中国を非難する西側先進国の倍以上の国々が中国を支持したのは、こうしたアメリカを警戒した流れと言えなくもないのだ。

「名誉白人」であることに誇りを持ち、その座にしがみついてきた日本人は、数が半分以下でも西側先進国のグループにいることに安堵を覚えるかもしれない。だが、時代は確実に変わってきている。リーマン・ショック後、G7の影響力に限界が叫ばれG20が生まれたように、G7のGDPの総和は世界全体の40%を切って、なお縮小していくことが予測されている。1987年には70%に達していたことを思えば隔世の感だ。

これに代わって伸びてきたのが、新興国やその他の発展途上国であるのは言うまでもない。つまり「一帯一路」沿線国や、国連人権理事会で中国を支持した「民主化の遅れた」国々だ。そしてここ数年、中国の貿易は、そうした国々に向かって大きくシフトしてきた。

もし、中国に親和性を感じている国々で、いまアフリカの一部で見られているような一気に経済が発展する「リープフロッグ現象」が次々と起きたとしたら、世界の未来はどうなるのだろうか。

日本が今後、どう中国と向き合っていくのかという問題には、実はこうした世界的な変化も含めて俯瞰した視点が不可欠なのだ。

「あーあ、中国はアメリカにこんなに嫌われちゃって大変だな。オーストラリアやカナダ、イギリスやフランス、ドイツにまで。そこに今度はインドも加わるって……」

こんな単純化された思考で対応できるものではないのだ。

日本と中国は、少なくとも経済では強いウインウインの関係にある。そのことは**2012年、尖閣諸島問題をめぐって互いに嫌中と反日がぶつかるなかでも、日本の対中投資が驚くほど伸びた**ことや、中国依存への警戒が大声で叫ばれ始め、中国以外のパートナーの必要性から「チャイナ＋1」という流行語が生まれたにもかかわらず、いつまでたっても「＋1」が出てこなかったことからも証明されている。

それに加えて中国のマーケットとしての魅力が膨み、さらにはインバウンド――コロナ禍で一時的になくなっているが――の恩恵も受けていたのである。

第1章でも触れたロス発言の流れを受け、日本でも中国を念頭に製造基地の国内回帰が呼び掛けられたが、これも思ったような効果は生まなかった。**コロナ禍でマスクが店頭から消えた反省もあって、生産拠点の一極化を見直し分散させるという目標を掲げたが、ふたを開けてみれば2020年4月は対前年比で10倍、5月は13倍ものマスクを中国から輸**

入し、かえって中国の生産拠点としての強みを認識することとなったのである。

日本が中国に発すべき真のメッセージ

もしいま、中国との経済関係を切ることができない、またはその選択が死活的に日本経済にマイナスになるとしたら、日本はアメリカとのあいだを、どのように泳いでいくべきなのだろうか。

答えは、簡単ではないだろうが、ないわけでもない。

まずは中国が核心的利益と位置づけるものに近寄らないことだが、そういうわけにもいかない現実もある。個別には尖閣諸島問題などを抱え、また安全保障上、死活的に重要なアメリカとの関係では、どうしても足並をそろえなければならないイシューもあるからだ。

ただ、そうだとしても、やはり気をつければ摩擦が柔らぐことが3つある。ひとつは、当然のことだが中国人の安全を脅かすことだ。直近で最も懸念されるのは、中国に向けた中距離ミサイルをアメリカの意向を受けて日本に配備することだ。そしてふたつ目が台湾問題——これには香港も含まれる——であり、最後のひとつが発展を阻害——包囲網を築いて邪魔をすることも含む——することだ。どうしても触れざるを得ないときには、「日中関係の重要性」を強調しながらするべきだろう。とくに3番目の「発展」は見落とされがちだ。

第3章でも触れたとおり、「社会主義」から「中国の特色ある社会主義」へと変わった中国が国民と約束しているのは「発展」である。自国民に顔向けできなくなれば、その原因に全力で牙を剝《む》くのは洋の東西を問わない政治家の本性だ。もちろん、中国も例外ではない。そこで中国が納得できない妨害をして「発展」の機会を奪えば、激しい反発を受けることは避けられないだろう。

では、「中国が納得できない妨害」とは何なのだろうか。それは「競争」という範囲を超えた「嫌がらせ」ではないか。たとえば、ウイグル問題に絡んで、「強制労働がある」として、きちんとした証拠を出さないまま新疆綿の不買をぶち上げたりすることだ。少し言い方を換えれば、たとえ仲が悪い取引相手であったとしても、いいものを作っている限り取引は続くという程度のレベルは保つべきだということだ。

先に紹介したように、**「反日」「嫌中」の嵐のなかでも投資は拡大した。これを換言すれば、「政冷経熱」にとどまっていれば、決定的な対立にはならないということ**だ。

そのことは、トランプ大統領の登場で米中関係が怪しくなったころ、中国が「互恵協力は両国関係を安定させる『バラスト』であり推進力を生む『スクリュー』だ」と呼びかけたことからも理解できる（「2020年の国際情勢と中国外交」シンポジウムの開幕式における王毅外相による演説「関係改善のための提案」）。

これも言い換えれば、経済（相互利益）というバラストがあれば、少々政治を冷やしてもいいという意味だ。

その意味では「政冷」を最小限にするためにも、トランプ時代に消えた「中国の平和的台頭を歓迎する」、あるいは「ひとつの中国の原則を重視している」などという、相手を安心させるメッセージを細かく出していくことが大切だろう。

実際、バイデン政権はトランプから対中強硬姿勢を引き継いだようにも見えるが、その実「ひとつの中国」政策を堅持することを明言し、「中国包囲網」の形成についても、これを明確に否定している。その点では、**トランプ政権が大統領選挙を目前に踏み越えていったラインを、きちんと調整して戻している**ことがわかるのだ。

そしていま、トランプのアメリカを経験した日本人が最も気をつけなければならないことがある。それは、中国という〝懸念〟を、激化する米中対立によってアメリカが一夜のうちに取り除いてくれるという幼稚な幻想を抱くことだ。

たしかに中国は、油断をしていい相手ではない。だが、過度に恐れる必要もない。**重度の中国恐怖症にかかれば、目線は中国にくぎづけになり視界は狭くなる。そうした〝視野狭窄〟は、生き馬の目を抜く国際政治の場において致命傷となりかねない。**特定の国への憎しみは〝敵〟に利用されやすいからだ。

それが、思わぬ場所で待ちかまえる別の落とし穴を見落としてしまう「危険な病」だということを、日本人は決して忘れてはならない。

おわりに

世界中がコロナ禍に覆われたこの1年半、普段はあまり意識しないことを考えるようになった。

たとえば、資本主義か社会主義か、自由主義か専制主義か、といったことだ。どちらが優位か、という話ではない。第一、それほどわかりやすい二項対立で現在の米中を語れるはずがないことは本書のなかで述べた。そもそも、両者の境界線にはそれほどはっきりとした区切りがつけられるのか、という点も疑問だ。

鄧小平は「社会主義にも市場はある」と述べ改革を進めたが、中国社会には日本社会を上回る激しい格差が生まれた。また、よく誤解されることだが、民主主義と対比される独裁政権であっても、中国共産党は人民の評価にはとても敏感な——だからこそ言論への締めつけが厳しい——政党だ。

また、米大統領選後にトランプ支持者が議会になだれ込んだときには、アメリカも香港のように警察力で排除するしかなかった。中央政府が香港支配強化のため導入した香港国家安全維持法に類似する法律はどの国にもあり、なかでも中国の〝異質性〟として非難された「外国人による香港以外の場所での行為も処罰の対象」となる域外適用は、同様のものが日本の刑法にもあること――内乱罪や外患罪――を無視して批判はできない。

また香港の問題では、「愛国者」でない人物を選挙の立候補者から排除した中国を「非民主的」と非難する声が高まったが、アメリカでは過去何度も愛国者でないという理由で議員資格がはく奪されている。

言論の自由も同じだ。中国が、日本よりはるかに狭い範囲で言論空間をコントロールしていることは間違いないが、もし本気で権力の致命傷につながる発信をしようとすれば、日本でも黙ってそれが許されることはないだろう。

不思議なのは、なぜいま米中の違いがこれほどクローズアップされるのか、である。彼我の差という点では、いまよりも90年代から00年代の比較的良好な関係が保たれていた時期のほうが、実ははるかに大きかったはずだからだ。もちろん、習近平が中央集権的な手法を次々に推し進めたことにも原因はあるだろう。しかし、それを計算に入れたとしてもかつての米中の差異には及ばない。

疑問を解くカギは、やはり中国が本格的にアメリカのライバルとして台頭したことだろう。しかも、よく練られた長期戦略（「メイド・イン・チャイナ2025」など）を掲げ、それを着実にやり遂げて自国産業を発展させる方法は明らかに有効で、アメリカに脅威を与えたのだ。中国で暮らす人々は常にどこか奥歯にものがはさまったようで、自分たちの制度が「このままでよい」とは考えていないが、習近平を拒絶するつもりもない。

では、巨大化した中国はアメリカに対抗して世界に専制主義を広げようとしているのだろうか、といえば答えは明らかに「NO」だ。

だが、中国がそのつもりがなくとも中国式は確実に〝伝染〟する。

たとえば、コロナ禍で日本の対策が迷走するなか、「日本に足りないのは強制力だ」と明らかに中国を意識したような発言も政界には目立った。アメリカでは今年6月、議会が「米国イノベーション・競争法案」を可決した。520億ドル（約5兆7000億円）という巨額の補助金で、半導体の生産や研究開発を強化し中国に対抗しようというのは、中国のやっていることと何が違うのか。

ファーウェイがやり玉に挙げられたことで同社の強みにも焦点が当てられ、その強さが非上場でワンマン経営にあるとされると、日本でも上場を見直そうとする議論が起きた。

このように中国式が〝伝染〟する動きは意識しないまま広がっている。そうなればふたつの社会の差異は、知らぬ間に急速に縮まっていくのかもしれない。

一方で目立つのは、西側社会に蔓延する金属疲労のような行き詰まり感だ。なかでも深刻なのは格差の広がりだ。日本やアメリカでは、コロナ禍のなかで浮き彫りになった非正規労働者に代表される多くの人の生活苦の裏側で、富裕層の資産ばかりが膨らんだ。民意が反映されるはずの社会で、なぜこんな格差ひとつ解消することができないのだろうか。

思い返してみれば、アメリカの民主主義の未来に暗い影を落とした、2021年1月の米連邦議会議事堂へのトランプ支持者の乱入事件は、そうした政治に見放されていると考える人々がその中心となったものだ。他方、アメリカの若者のあいだでは、共産主義に対する嫌悪感が明らかに薄まっているという調査結果が少なからず見つかる。

トランプ支持者の一部が影響を受けた「Qアノン」は、政府、メディア、金融業界が、悪魔を崇拝する小児性愛者らにコントロールされているという陰謀論を信じていることで知られているが、「悪魔を崇拝する小児性愛者ら」という部分を削除すれば、つまりは、一部のインナーサークルがこの国を牛耳っているという考え方であり、それは若者が「ウォール街を占拠せよ」と叫んだ不満とも重なるといえる。つまり、誰かが思いきり甘い汁を吸っていると怒っているのだ。

ひるがえって日本を見たときは、どうだろうか。少し意見の相違があれば相手を口汚く罵り、権力になびく者を厚遇し、弱者に冷淡な態度をとる。国会では官僚が政治家に忖度して明らかにウソではないかと思われる答弁をやり続け、資料の開示請求をすれば真っ黒に塗りつぶされた文書が出てくる。これを「民主主義だ。見習え」と言っても、中国人は笑うだけだろう。

いま、日本政府も国民も隣国の「人権」に口を出す――蔑《さげす》みたい気持ちもあるのだろうが――ことに忙しいが、そのエネルギーを、国民を幸せにすることに向けるべきではないだろうか。使い切れないほどの余力があれば別だが、日本の政治は基本的に日本人の生存と自己実現のために使われるべきで、ウイグル族や香港の人々のために使われるものではない。残念ながら日本は大国でもなく、第2次世界大戦後の世界秩序のなかでは〝負け組〟だ。それは世界の情勢を読み間違い、賢く振る舞えなかったからだ。

「一部の者が甘い汁を吸い、そのせいで自分が不幸せだ」と思う人たちは概して外国には不寛容だ。そのターゲットのひとつが、いまの中国だ。その中国には「貧すれば、民、乱を思う」という言葉があるが、世界はコロナ禍で苛立っている。そんななか「自由主義VS専制主義」などという言葉にうっかり踊らされ、しなくてもよい争いの最前線に立たされることで、はたして日本人が望む未来が開かれるのだろうか。

いうまでもなく最大の人権侵害は「戦争」である。他国の「人権」に口出しし、人類が手に入れた戦争回避のツールである「内政不干渉」に手を出し、戦争を引き起こしたとしたら、それを「正しい」歴史として日本人は振り返ることができるのだろうか。しかも、その災禍をすべて子どもたちに背負わせたままで……。

２０２１年７月１日　中国共産党１００周年を横目で見ながら

富坂聰

著者略歴

富坂 聰（とみさか・さとし）

1964年愛知県生まれ。北京大学中文系に留学した後、週刊誌記者などを経てフリージャーナリストに。94年『「龍の伝人」たち』（小学館）で、21世紀国際ノンフィクション大賞（現・小学館ノンフィクション大賞）優秀賞を受賞。新聞・雑誌への執筆、テレビコメンテーターとしても活躍。2014年より拓殖大学海外事情研究所教授。『中国がいつまでたっても崩壊しない7つの理由』『「米中対立」のはざまで沈む日本の国難』（以上、ビジネス社）、『感情的になる前に知らないと恥ずかしい中国・韓国・北朝鮮Q&A』（講談社）、『トランプVS習近平 そして激変を勝ち抜く日本』『風水師が食い尽くす中国共産党』（以上、KADOKAWA）など著書多数。

写真提供：共同通信社（P17、P203）

「反中」亡国論

2021年8月1日　第1版発行

著　者　富坂 聰
発行人　唐津 隆
発行所　株式会社ビジネス社
〒162-0805　東京都新宿区矢来町114番地　神楽坂高橋ビル5階
電話　03(5227)1602（代表）
FAX　03(5227)1603
http://www.business-sha.co.jp

印刷・製本　株式会社光邦
カバーデザイン　大谷昌稔
本文組版　茂呂田剛（M&K）
営業担当　山口健志
編集担当　大森勇輝

ISBN978-4-8284-2308-1